MAGRITTE

LE CHATEAU DES PYRENEES.

1959, peinture à l'huile, 200 x 140.

Collection Harry Torczyner, New York.

Magritte exploite au maximum le thème de la pétrification et des pierres en général entre 1950 et 1960. Entre 1950 et 1951 on assiste à une première phase (série des *Souvenirs de voyage I–III, Le journal intime, La chant de la violette* et *La parole donnée*). Vers 1953–1954, les couleurs s'éclairent, l'atmosphère se détend. Et enfin entre 1958 et 1959 le problème du volume et du poids d'énormes pierres occupe tout particulièrement Magritte. Il modifie soit les lois de la pesanteur, soit le poids de la matière; les rochers s'enfoncent dans la terre, s'élancent vers le ciel ou bien semblent posés à côté d'un homme endormi pour l'éternité dans un cercueil ouvert *(L'heure sonnera,* collection Nellens).

   Le château des Pyrénées représente un château flottant sur un roc qui domine la mer. Le titre fut certainement inspiré par l'expression «bâtir des châteaux en Espagne». Les gris, les bleus et les blancs dominent cette toile; des vagues se brisent sur la grève; la touche est douce et raffinée. Avec cette toile, Magritte a voulu évoquer la vie «entre ciel et terre», thème que l'on retrouve dans *Le domaine d'Arnheim* d'Edgar Allan Poe. Il décrit un voyage dans un paysage irréel soudain envahi par «une masse d'architecture moitié gothique, moitié sarrasine qui a l'air de se soutenir dans les airs comme par miracle».

TITRE ET COMMENTAIRE SOUS LA REPRODUCTION.

RENÉ
MAGRITTE

TEXTE DE

A. M. HAMMACHER

Ancien directeur du Musée Kröller-Müller, Otterlo

LA BIBLIOTHÈQUE DES GRANDS PEINTRES

ÉDITIONS CERCLE D'ART, PARIS

TRADUIT DE L'ANGLAIS PAR SYLVIE BOLOGNA
ÉDITIONS CERCLE D'ART
90, RUE DU BAC, PARIS VIIe

TABLE DES MATIERES

PLANCHES

REMERCIEMENTS

Le travail préparatoire pour un livre sur Magritte implique des recherches de toutes sortes et des contacts avec tous ceux qui ont bien connu l'artiste. Souvent c'est avec émotion que les personnes interrogées ont répondu à mes questions concernant la vie et l'œuvre de Magritte, montrant ainsi leur attachement à une période maintenant révolue.

Qu'ils veuillent bien trouver ici l'expression de ma gratitude.

Je pense en particulier à Madame Georgette Magritte qui m'a fourni avec empressement les documents en sa possession ou qui m'a aidé dans mon travail de recherche.

Du petit cercle des surréalistes qui entourait Magritte, il y a quelques années, Irène Hamoir et Louis Scutenaire (avec leur splendide collection) ont contribué à faire revivre ces années. Madame Francine Legrand, keeper des Musées royaux des Beaux-Arts de Belgique à Bruxelles et les attachés ont facilité ma tâche quand je vins étudier la somme déjà considérable de documentation sur Magritte et son cercle, à présent partie intégrante des archives de l'art contemporain.

Madame Margaret Krebs m'a fourni informations et documentation concernant les lieux où se trouvent les œuvres de Magritte et les souvenirs de ses contacts avec René et Georgette.

Francis de Lulle, chef du département des arts au Ministère de la Culture à Bruxelles et Catherine de Croës, attaché, furent particulièrement hospitaliers. A New-York, Harry Torczyner, un ami de Magritte dans ses dernières années, s'avéra un indispensable et généreux guide de «Magritte et l'Amérique».

Pierre Crowet, Emile Langui, Jacques et Roger Nellens (après la mort de leur père, Gustave), Edward James, Messieurs L. Bickerton et M. Heymann de la Fondation Edward James et M. D. Rogers du Musée de Brighton ont aidé l'auteur par leur documentation et leur soutien moral.

Je suis reconnaissant à chacun d'eux.

A. M. HAMMACHER

MAGRITTE

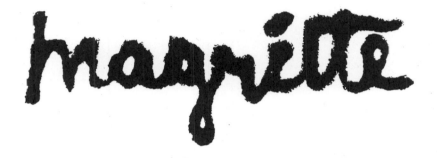

René Magritte fut certainement déçu de constater l'incompréhension de ses contemporains, mis à part quelques surréalistes partageant ses idées. En effet, il a fallu au monde plus d'un quart de siècle pour que l'on découvre le contenu philosophique et poétique de l'œuvre de René Margritte. Cette optique nouvelle correspond à un courant surréel qui se manifeste dans la société et dans le monde de la pensée depuis les cinquante dernières années.

On imagine d'ailleurs fort bien cette incompréhension initiale de l'œuvre de Magritte. Elle est d'un abord difficile et sa simplicité est trompeuse. Dans notre monde de plus en plus agité et instable, où l'autorité est contestée dans le monde du travail, du commerce, de l'industrie aussi bien que dans le monde intellectuel et universitaire, la raison demeure en dépit de tout, une faculté indispensable. Pourtant l'irrationnel ne veut plus être laissé pour compte. Il se fraie un chemin dans l'esprit des hommes d'aujourd'hui. C'est pourquoi, il est possible, surtout aux jeunes d'aujourd'hui de comprendre mieux et plus profondément l'œuvre de Magritte. Cette œuvre nous pousse à oublier, au moins pour un temps, ce que nous attendons en général de l'Art. Magritte lui ne répond jamais à nos exigences ni à notre attente. Il nous offre quelque chose d'autre à la place. Son ami Paul Nougé a

exprimé mieux que quiconque ce sentiment et ce qu'il a dit en 1944 est encore vrai aujourd'hui: «L'on questionne les images avant de les écouter, on les questionne à tort et à travers. L'on s'étonne ensuite si la réponse prévue ne vient pas». (note 1)

L'œuvre de Magritte nous permet d'évoquer un état de choses devenu rare et précieux: l'observation en silence. La lecture et la réflexion demandent le silence de même qu'écouter. Il peut servir à attendre une vision éclairée des choses et c'est vers cette vision que Magritte nous entraîne.

Jusqu'en 1925, l'historien d'art expérimenté peut aisément suivre, décrire, analyser et définir les rapports qui existent entre les expériences abstraites, futuristes et cubistes de René Magritte et les mouvements d'avant-garde de l'époque en Belgique et à Paris. Après cette date les résultats deviennent de moins en moins satisfaisants car il se produit un changement radical qui prive l'historien d'art du secours des dates, des définitions et de la biographie pour expliquer la signification et l'essence de la peinture de Magritte.

Historiquement, on peut considérer le Surréalisme, le phénomène le plus complexe des arts du vingtième siècle, comme l'expression d'une certaine structure culturelle, sociologique et politique.

Bien que Magritte soit lié au Surréalisme et que son œuvre représente un élément important du mouvement, il est très difficile de la situer par rapport au contexte culturel de l'époque. Mais celui qui désire comprendre le mystère fascinant de l'œuvre de Magritte ne sera pas tellement éclairé par les recherches

1. LA FEMME EN BLEU. 1922. Peinture à l'huile, 71 × 41,5, *Acoris Surrealist Art Center, Londres.*

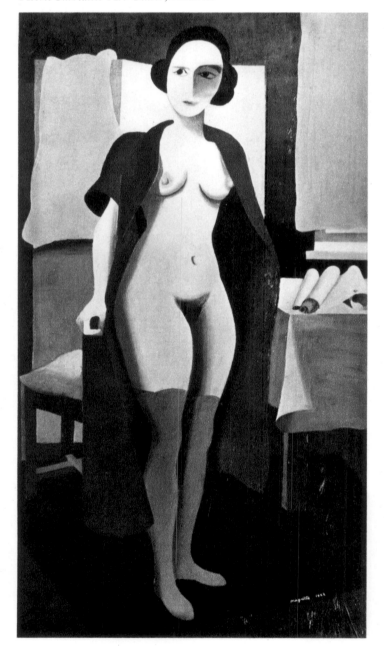

2. LA FENÊTRE, 1925. Peinture à l'huile, 63 × 50. *Collection privée, Bruxelles.*

biographiques, analytiques ou socio-historiques.

La vie privée de Magritte se prête peu aux recherches psychanalytiques. Entreprendre de telles recherches, ce serait ne pas tenir compte de l'interdit qu'il avait lui-même mis sur une telle méthode. Cela ne signifie nullement qu'en faisant ce genre de recherches on ne découvrirait rien d'intéressant. La réticence de Magritte à parler du passé et son indifférence feinte pour des évènements très importants de sa jeunesse sont trop évidemment dus à un refoulement inconscient, pour ne pas avoir influencer son œuvre. Et pourtant il avait raison de penser que toute explication attribuant son œuvre à des évènements perturbateurs de son enfance ou qui chercherait à démêler son symbolisme du rêve, s'opposerait au but qu'il s'était fixé en toute conscience en peinture. Chercher des solutions dans le cabalisme, ce que l'on fait à présent pour interpréter son œuvre, est en désaccord avec l'esprit de Magritte et conduit à des résultats en complète contradiction avec les informations dont nous disposons.

3. LE JOCKEY PERDU.
1926. Collage et aquarelle
sur papier, 40×50.
Collection privée, Bruxelles.

4. PAYSAGE. 1926. Peinture à l'huile. 100×72.
Collection privée, Bruxelles.

5. LE DORMEUR TÉMÉRAIRE. 1927. Peinture à l'huile,
110×85. *Tate Gallery, Londres.*

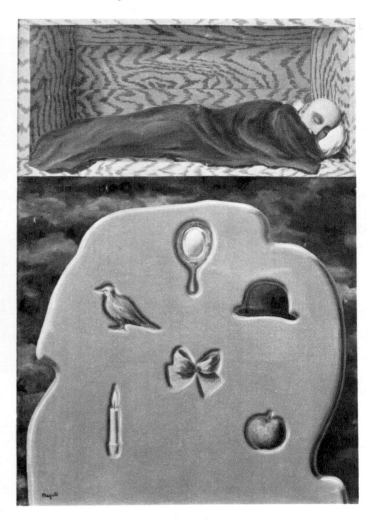

6. LE GENRE NOCTURNE. 1928.
Peinture à l'huile, 80 x 114,5.
Collection privée, Bruxelles.

7. LE PLAISIR. 1926. Peinture à l'huile,
73 x 100. *Collection Marlborough Fine Arts Ltd.
Londres.*

8. LA RUSE SYMÉTRIQUE. 1927.
Peinture à l'huile, 54 x 73.

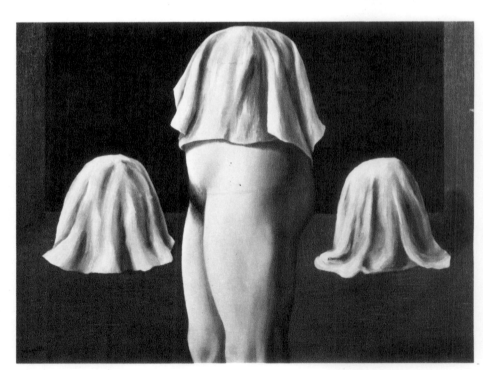

14

Par ses recherches et ses expériences personnelles, Magritte avait rompu avec la problématique de l'avant-garde cubiste qui avait dominé sa jeunesse. Il se sentait plus à l'aise dans l'atmosphère rebelle du Surréalisme qui avait déjà à cette époque absorbé les éléments dadaïstes et les effets de la psychose provoquée par la première guerre mondiale. Il ne fut pas conformiste non plus au sein du mouvement surréaliste. Fortement opposé à la projection de soi-même et à l'expression du moi il ne voulait pas, à juste titre, que l'on fasse de son œuvre une affaire personnelle, psychologique et purement esthétique (la rendant ainsi inoffensive pour la société). Il était en désaccord avec la société dans laquelle il vivait, mais il avait un esprit trop sceptique, trop critique et trop ironique pour penser que son art pourrait la transformer. Pourtant il y voyait un instrument visuel qui pourrait permettre aux gens, en les choquant et en les surprenant, de sentir le mensonge derrière les conventions et qui leur donnerait le moyen de retrouver l'essence mystérieuse des choses.

9. LES RÊVERIES DU PROMENEUR SOLITAIRE. 1926–1927. Peinture à l'huile, 139 x 105. *Collection privée, Bruxelles.*

L'IDÉE FIXE. 1927. Peinture à l'huile, 79,5 x 115. *Collection Alexandre Iolas, New York, Genève, Milan, Paris.*

15

Les images ensorcelantes et provocantes de son œuvre proviennent du mystère du monde visible.

Ce monde lui apportait suffisamment de révélations pour qu'il n'ait pas besoin d'avoir recours au rêve, aux hallucinations, aux phénomènes occultes ou au cabalisme. Pourtant, la préconscience qui précède le réveil et qui se poursuit jusqu'au réveil proprement dit a toujours joué un rôle important dans son œuvre.

Dès que l'on commence à étudier Magritte, on comprend qu'il vaut mieux éviter de chercher à résoudre les puzzles qu'il nous propose. Il est vrai que l'artiste lui-même donne suffisamment de clés pour nous permettre d'entrer en contact avec son style de peinture et le processus mental sur lequel il est fondé. On appelle parfois ce processus «pensée visuelle». Je préfère ne pas lui donner de nom. Le terme «pensée visuelle» prête à confusion. Il exprime une subordination possible du visuel à la pensée et vice-versa. Il y a aussi malentendu si l'on traite Magritte de «cérébral», même si ses œuvres font naître en nous de nombreuses associations d'idées littéraires, philosophiques et linguistiques qui nous aident à les mieux comprendre. Le terme «littéraire» est aussi une conception erronée. Elle est compréhensible à cause des origines littéraires des figures marquantes du Surréalisme. Nous éviterons donc de favoriser l'une ou l'autre de ces formules et nous chercherons simplement à voir avec qui et avec quoi on peut comparer Magritte et son merveilleux cabinet d'instruments.

L'auteur qui désire respecter pleinement la lutte que mena Magritte contre les fausses interprétations et les fausses explications (et ce fut une véritable lutte) doit passer outre à l'interdit posé par l'artiste. Il a lui-même essayé d'expliquer pourquoi il ne voulait *aucune* explication. Il avait ses raisons pour haïr profondément l'idée que son œuvre fut symbolique, pour mépriser la psychanalyse et se méfier de toutes les interprétations quelles qu'elles fussent. En adoptant cette attitude, il défendait l'essence même de son œuvre. Si donc nous essayons de saisir quelque peu le *sens* de la résistance de Magritte (et cela il ne nous l'interdit d'aucune façon) nous comprendrons mieux son œuvre.

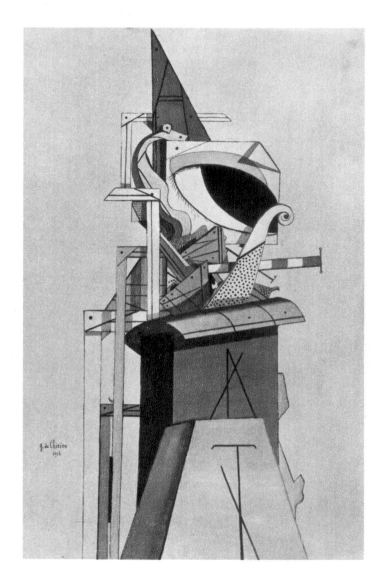

11. Giorgio de Chirico. L'ANGE JUIF. 1916. Peinture à l'huile, 67,5 × 43. *Collection Sir Roland Penrose, Londres.*

Voir, dit Magritte, est ce qui importe. Voir doit suffire. Mais de quelle sorte de vision parle-t-il? Une certaine forme de compréhension est possible sans l'aide des mots; elle doit, si nécessaire, être authentifiée par une manière de voir. Mais pour la plupart des gens, voir ne suffit pas. Ils voient les choses rapidement et y pensent sans y penser vraiment. Pour eux les mots représentent l'idée et leur fonction est primordiale. De ce fait, le royaume des révélations, qui se trouve *au-delà des mots,* est abandonné et inexploré.

Magritte qui était un peintre et un peintre tout court, était très conscient du pouvoir que les mots avaient acquis à son époque comme à la nôtre.

Il le montra dans ses écrits et dans ses peintures. C'était jouer un jeu dangereux, car il introduisait l'élément «mot» dans ses «images». Ainsi toute personne qui s'intéresse sérieusement à l'œuvre de Magritte est obligée de prendre en considération ce qu'il cherchait dans les mots et quelle valeur il leur attribuait.

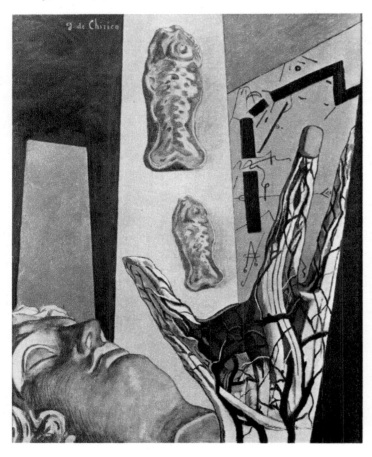

12. Giorgio de Chirico. SPAN OF BLACK LADDERS. 1914.
Peinture à l'huile, 60 x 50. *Collection Mr et Mme James W. Alsdorf, Winnetka, Illinois.*

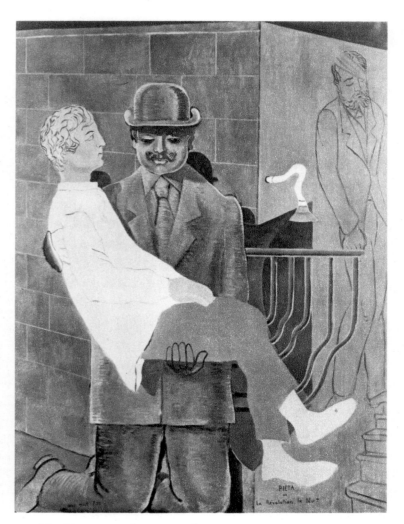

14. Max Ernst. PIETÀ OU LA RÉVOLUTION LA NUIT.
1923. Peinture à l'huile, 116 x 89. Précédemment *collection Sir Roland Penrose, Londres.*

13. Giorgio de Chirico. LE CERVEAU DE L'ENFANT. 1914.
Peinture à l'huile, 81 x 65. *Moderna Museet, Nationalmuseum, Stockholm.*

15. Giorgio de Chirico. LE DOUBLE RÊVE DU PRINTEMPS.
1915. Peinture à l'huile, 56 x 54,5, *Musée d'Art moderne, New York.*

Sa simplicité est une simplicité suspecte. Dans ses écrits (qui comprennent des articles à caractère général, quelques œuvres littéraires et des articles spécialisés) et dans les titres qu'il leur donne, Magritte se montre méthodique. Il l'était aussi en peinture. L'inattendu n'est jamais dû au seul caprice. Il ne se trouve pas tant en lui qu'en nous. Nous ne sommes pas préparés à sa façon de penser et de peindre et nous ne la saisissons pas immédiatement. Ce n'est pas par opposition mais·par un besoin naturel de réagir contre les stéréotypes de la vie quotidienne d'une manière inattendue ; c'est un besoin de corriger. Dans son œuvre, cela devient une discipline de sentir, de penser et de se comporter qu'il a découverte et qu'il développe pour lui-même. Cette méthode est donc un sujet aussi valable pour notre étude que les tableaux eux-mêmes.

Magritte essayait, pour ainsi dire, d'apporter une résonance contrôlée dans son œuvre. Un tableau, une fois terminé, provoquait en lui une résonance dans laquelle il entraînait ses amis intimes.

La résonance provoquée chez lui est nécessairement différente de celle que nous recevons nous, les non-initiés à ses images picturales et verbales. Malgré tout, Magritte désirait fortement que les autres ressentent la résonance juste. Il se faisait des illusions en pensant pouvoir les influencer. Les autres, c'étaient les critiques, les historiens d'art, les marchands de tableaux et les collectionneurs qui avaient leurs propres intérêts à défendre.

Le plus souvent Magritte construisait ses tableaux avec des choses simples telles que des arbres, chaises, tables, portes, fenêtres, chaussures, étagères, paysages et personnages. Il voulait se faire comprendre par l'intermédiaire de ces choses simples. Ceux qui le trouvent obscur ne devraient pas oublier qu'il avait tourné le dos au fantastique et au monde des rêves. Il ne cherchait pas à être obscur. Au contraire, il cherchait, par la thérapeutique du choc et de la surprise à débarrasser notre vision conventionnelle ce qu'elle avait d'inexplicable.

Dans notre livre nous nous rapporterons autant que possible à Magritte lui-même, à sa résonance et à sa méthode. On ne peut échapper au fait que son monde ait été un monde complexe dans lequel nous perdons souvent de vue la simplicité. Mais on la retrouve toujours dans les tableaux eux-mêmes, ce qui ne fait qu'augmenter notre étonnement.

Les Rêves Lucides de Magritte

D'une manière générale, Magritte rejeta le rêve comme source d'inspiration de son œuvre. «On fait souvent mauvais usage du «mot» rêve en parlant de ma peinture. Bien sûr, nous voudrions que le royaume des rêves soit respectable – mais nos œuvres ne sont pas oniriques. *Au contraire.* Si l'on peut parler de «rêves» à propos de mon œuvre, ils sont très différents de ceux que nous avons en dormant. Il s'agit plutôt de «rêves» *voulus* qui ne provoquent pas ces sentiments vagues que l'on ressent lorsque l'on s'échappe dans le rêve… «Rêves» qui n'ont pas pour but de vous faire dormir mais de vous réveiller». (note 2)

Comme on le voit, la situation n'est pas aussi simple que voudrait le faire croire Magritte. Il pensait évidemment aux expériences que nous avons juste avant le réveil mais il ne faisait aucune différence entre ce rêve du réveil, les rêves lucides et les demi-rêves. Cela n'explique toujours pas par quel mécanisme il arrivait à ses images inhabituelles. Apparemment, Magritte ne connaissait pas bien la catégorie des «rêves lucides», qui diffèrent des rêves normaux, tels qu'ils sont décrits par Freud et ses disciples. Ce que nous savons à ce sujet nous laisse supposer que Magritte avait non seulement des rêves lucides mais qu'en plus il les provoquait.

Max Ernst, après avoir vu une exposition de Magritte à la Galerie Obelisk de Londres en 1961, écrivait : «Magritte ne dort ni ne reste éveillé. Il éclaire. Il viole méthodiquement, sans rire». (note 3)

Louis Scutenaire cite cette expression tirée d'une

16. LE SUPPLICE DE LA VESTALE. 1926.
Peinture à l'huile, 97 × 74.
Collection Isy Brachot,
Bruxelles et Knokke-le Zoute.

conférence de Magritte, «la représentation de certaines visions du demi-sommeil» (note 4), qui est pour lui l'un des moyens de rendre les objets saisissants et d'établir un contact profond entre la conscience et le monde extérieur. Dans la même conférence il raconte comment en 1936 il s'éveilla dans une chambre où se trouvait un oiseau assoupi dans une cage. Au lieu de voir l'oiseau dans la cage, il vit un œuf (note 5). C'est ce qu'il appelle «une magnifique erreur». Le choc qu'il subit était provoqué par le rapprochement entre deux objets non-apparentés : la cage et l'œuf. Camille Goemans en parle comme d'un «choc poétique» exceptionnel provoqué par le «système mental» et le «système sensible» (note 6). Magritte ne dit pas qu'il sortait d'un rêve mais il dit bien que le fait de s'éveiller lui fit voir *ce qui n'y était pas*. Cette expérience involontaire le poussa à développer une technique d'investigation qui avait pour but de découvrir un élément propre à chaque objet et permettant de le relier à un autre.

Grâce à ces découvertes il avait l'impression de posséder une sorte de prescience perdue. Que ce qu'il cherchait à mettre à jour était caché loin dans l'inconscient ou avait été refoulé. Ce n'est qu'après avoir

17. CAMPAGNE III. 1927. Peinture à l'huile, 73,5 × 54.
Collection Isy Brachot, Bruxelles et Knokke-le Zoute.

18. LE MARIAGE DE MINUIT. 1926. Peinture à l'huile,
139,5 x 109,5. *Musées Royaux des Beaux-Arts de Belgique,
Bruxelles.*

19. LA GÉNÉRATION SPONTANÉE. 1937. Peinture à l'huile,
54,5 x 73. *Collection privée, Anvers.*

fait toute une série d'enquêtes qu'il découvrit ce qu'il
cherchait.

Ce que Magritte disait en 1927–1928, quand il vivait
à Paris et qui fut publié par Marcel Mariën dans *Les
jambes du ciel* (n°: 6 des *Lèvres nues,* 1968) est aussi très
significatif. Il parle d'une expérience de réveil dans
laquelle il voit des choses et cherche à découvrir s'il
les a rêvées pendant la nuit ou s'il les a réellement
vues le jour précédent.

«Quand j'ouvris les yeux, des pensées se jetèrent
sur moi. Ce sont les choses que j'ai vues hier. Je me
souviens aussi de choses dont j'ai rêvé pendant la nuit.
Je me les rappelle toujours avec un sentiment de joie
intense et c'est pour moi une victoire quand je réussis
à reconquérir le monde de mes rêves. Je m'étais déjà
aperçu que mes pensées du matin étaient étranges; il
me semblait que je devais me souvenir du plus grand
nombre de choses possibles et j'avais beau faire des
efforts, je ne me souvenais de rien au-delà de 24
heures. Je m'en rendis compte dès que j'eus l'occasion
de contrôler».

Magritte mêle les souvenirs des personnes vues le
soir précédent et de paysages jamais vus. Par exemple,
il se souvient d'une expérience qu'il eut dans les îles du
Pacifique.
Il se voit fendant les eaux violettes (une réminiscence
de Gauguin) sur des «fils de fer rouges à la merci de
courants invisibles et violents. Comme j'avançais, une
femme de plâtre me fit faire un mouvement qui devait
me mener loin.»
Il décrit ainsi le besoin de distinguer entre l'hallucination et le souvenir d'expériences récentes et réelles: «En
me rappelant ces choses, je découvris tout à coup
qu'elles n'appartenaient pas à un rêve. Cette femme à
bicyclette, je l'avais vue le soir précédent en sortant
du cinéma».
L'atmosphère oppressive de cette prose pleine d'anxiété, correspond à celles des toiles de la période 1926–
1928 qui commence avec les étranges paysages de 1926.
Après 1930, ces représentations de demi-rêve ne se
présentent plus de la même façon. Cependant, Magritte

20. LA PROMESSE SALUTAIRE. 1927.
Peinture à l'huile, 73 x 54.
Collection privée.

Dans une lettre datée du 9 Mai 1967 (note 7) (c'est-à-dire peu avant sa mort) j'ai trouvé cette expression «une image imprévisible m'est apparue la nuit dernière», suivie de l'esquisse d'une plante avec trois types différents de fleurs et une brève description.

Dans ce cas, nous ne savons pas si l'évènement a eu lieu dans un état de demi-sommeil ou dans un rêve profond. Cependant, nous pouvons conclure que bien que selon sa femme Georgette, il parlât rarement de rêves et ne leur prêtât que peu d'attention, il s'efforçait toujours de demêler ce qui appartenait au monde des

21. LA PERSPECTIVE AMOUREUSE. 1935.
Peinture à l'huile, 115 x 80.
Collection privée, Bruxelles.

continua à mettre l'accent sur les images poétiques, conscientes et visibles et non sur la valeur symbolique ou sur la signification des rêves. C'est ce qu'il fit jusqu'à la fin de sa vie.

Dans un échange de lettres polémiques avec le surréaliste belge Achille Chavée, à propos de son interprétation de quelques toiles de Magritte, celui-ci revient de nouveau au thème du «rêve». Il en parle encore comme il parlait des rêves lucides du réveil en 1927–1928. Dans une de ces lettres, il inverse le mécanisme freudien: «En ce qui concerne l'interprétation freudienne des objets, il est très important, je pense, de remarquer (et c'est l'une des conditions de la poésie) que si, par exemple, dans un rêve une cravate représente un sexe, *si le rêve est une transposition de la vie éveillée, la vie éveillée est aussi une transposition du rêve*».

22. LA POITRINE
II. 1961. Peinture à
l'huile, 90x110.
Collection privée,
Bruxelles.

23. LA VOIX DU
SANG. 1961. Peinture
à l'huile, 90x110.
Collection privée,
Bruxelles.

rêves et ce qui n'était que survivance dans la mémoire de choses récemment vues ou éprouvées.

Louis Scutenaire cite l'exemple d'un cauchemar que fit Magritte en 1937 à Londres. Il se sentit menacé par des fantômes qui lui tiraient les jambes. Georgette raconte qu'il poussa un cri terrible. Cette nuit-là ils n'osèrent pas aller se recoucher (note 8).

Quand on parle de psychanalyse, Magritte devient ironique; il la rejette. Il ne surmonta jamais cette aversion qui s'accentua avec les années. On en trouve la preuve dans ce qu'il écrivit le 21 Mai 1962 pour le catalogue de l'exposition «Vision de René Magritte» au centre culturel Walker de Minneapolis. Il y montre clairement son opposition à «l'Art fantastique et à l'Art symbolique» qu'il considère comme une proie facile pour les psychanalystes.

Dans une lettre écrite de Londres le 12 Mars 1937 (note 9) à son ami le poète Paul Colinet Magritte fait le rapport ironique suivant. (cette lettre est écrite en anglais car à l'époque Magritte avait un secrétaire anglais. Elle nous apprend aussi l'adresse, 35 Wimpole Street, London W., qui est celle de Edward Jamas chez qui habitait Magritte). Un jeune peintre Matta, lui présenta deux psychanalystes dont l'un était un jeune sud-africain.

«Comme il s'intéresse aux œuvres de notre ami Freud, écrit Magritte, ce jeune médecin s'intéresse, (cela va sans dire) au surréalisme». Le second psychanalyste avait environ cinquante ans. Magritte passa une soirée en leur compagnie. Après avoir épuisé toutes les questions sur les thèmes de son œuvre, ils se sentirent prêts à l'interpréter. «Ainsi, ils pensent que mon tableau *le modèle rouge* est un exemple de castration. Vous vous rendez compte après cela comme tout devient simple. Aussi, après quelques interprétations de ce genre, je fis un vrai dessin psychanalytique (vous voyez ce que je veux dire). Bien sur, ils analysèrent ces dessins avec le même sérieux. Entre nous il est terrifiant de voir ce à quoi l'on s'expose en faisant un dessin innocent.»

On peut dans une certaine mesure rattacher ce refus émotif et entêté au fait qu'en Belgique le poète, essayiste et nouvelliste, Franz Hellens popularisa l'idée de Freud et de Jung (par rapport à la littérature) et représenta même «le fantastique réel». C'est pour cette raison que Paul Delvaux devint son illustrateur. Magritte ne voulait absolument pas échouer dans ces milieux.

Il définit sa position par rapport à l'Art-position difficilement soutenable – de la manière suivante (extrait de la lettre du 12 mars 1937 à Paul Colinet): «L'Art, comme je le vois, est réfractaire à la psychanalyse: il évoque le mystère sans lequel le monde n'existerait pas, c'est-à-dire, le mystère qu'on ne doit pas prendre pour un problème, quelque difficile que cela puisse être.» Il ajoute qu'il doit être bien éveillé pour évoquer le mystère du monde et qu'il ne doit pas s'identifier à des idées, des sentiments et des sensations comme cela se fait dans un rêve ou dans un état de folie.

Le mystère du monde est un sujet tabou pour le psychanalyste: «Une personne de bon sens ne peut croire que la psychanalyse puisse élucider le mystère du monde. Pour être plus précis, la nature du système supprime la curiosité.» Et comme l'œuvre de Magritte évoque précisément le mystère, il conclut: «La psychanalyse n'a rien non plus à nous dire sur les œuvres d'art qui évoquent le mystère du monde». Il ajoute malicieusement: «La psychanalyse est peut être le meilleur sujet pour la psychanalyse». Il ne pouvait se montrer plus hostile.

Empêcher toute interprétation, c'était adopter une position insoutenable. Cependant on peut expliquer l'attitude de Magritte. Il se défend et en le faisant, il déforme les intentions du psychanalyste. La peur d'être incompris lui fait oublier que la psychanalyse peut aborder le processus de création et qu'un bon psychiatre connait les limites de sa science.

Magritte ne voulait pas que le spectateur de son

LA RÉVÉLATION DU PRÉSENT. 1936.
Peinture à l'huile, 46 x 65.

25. L'EMPIRE DES LUMIÈRES VII. 1961. Peinture à l'huile, 114 x 146, *Collection privée, Bruxelles.*

œuvre s'identifie avec l'artiste comme il évitait lui-même de s'identifier avec les sentiments, les sensations et les idées. Il s'efforçait d'atteindre une objectivité qui lui permit en toute logique de rejeter un art comme celui de Vincent Van Gogh. Il donnait aux gens un moyen, qui ne les ramènerait pas à Magritte, à son monde inconscient, mais qui les conduirait en avant vers ce monde étrange et mystérieux qui chaque jour au réveil, se révélait à la conscience.

Un élément important émerge de toutes ses attitudes contestables : il considère le mystère de la vie avec une peur sacrée et il pense que l'essence est inaccessible à toute interprétation. Mais cela ne s'applique pas seulement à la psychanalyse. Cela s'applique aux interprétations des historiens, des critiques d'art et des philosophes.

Mais Magritte lui-même n'échappe pas dans ses titres et dans ses petits écrits à la tentation de faire quelque chose *avec des mots*. A propos de ses tableaux ou même *dans* ses tableaux, quelque chose que l'on pourrait appeler un commentaire déguisé. Un commentaire n'est pas tout à fait la même chose qu'une interprétation.

Achille Chavée, qui s'opposait à la condamnation en bloc de toute interprétation applique la conclusion générale de Magritte pour la «vie éveillée» à l'œuvre d'art : «Une toile vraiment poétique est un rêve éveillé.» (note 10) Magritte ne pouvait qu'être d'accord avec cette définition. Car Chavée parle ici du rêve éveillé qui se rapproche plus du rêve lucide que du rêve ordinaire. Tout chez Magritte tend vers les phénomènes clairs, conscients et visibles et il s'oppose fortement à Chavée (et à bon nombre d'autres) quand ils cherchent ce qu'il y a de caché derrière le contenu visible.

Comme je l'ai déjà laissé entendre, toutes ces données nous mènent à la *technique du rêve lucide*. Les états de demi-rêve, tels qu'ils furent notés et analysés par le philosophe russe Ouspensky (d'une manière différente de celle de Freud qu'il rejetait) durent être très fréquents dans la vie de Magritte. A ce sujet nous pouvons consulter l'ouvrage *Les rêves lucides* de Célia Green, directrice de l'Institut de Recherche Psychanalytique d'Oxford, dans lequel on trouve de nombreuses citations d'Ouspensky et de Van Eeden, médecin hollandais et écrivain.

Comme Magritte, Ouspensky remarque qu'il lui était plus facile d'observer ses demi-rêves le matin quand il était encore au lit que le soir avant de s'endormir (note 11).

Ouspensky parle aussi du sentiment de triomphe ou du moins de grande satisfaction qu'il éprouvait quand il réussissait à retrouver l'origine et la nature de ses expériences. Magritte avait beaucoup de choses en commun avec les rêveurs lucides dont les expériences furent enregistrées et étudiées d'une manière scientifique.

Le fait que le rêve lucide laisse derrière lui l'impression d'appartenir au jour plutôt qu'à la nuit, explique pourquoi Magritte cherchait avec tant de détermination le côté de la conscience, y compris de la conscience irrationnelle et des inconnus et se détournait de tout ce qui tendait vers l'inconscience, le somnambulisme, l'hypnose, l'automatisme et l'obscurantisme.

C'est aussi une des raisons pour lesquelles Magritte résista pendant son séjour à Paris à l'influence du cercle d'André Breton qui faisait revivre l'artificiel dans le subconscient et qui pratiquait l'inconscient avec passion.

Magritte n'aimait pas se laisser aller. Même dans la demi-inconscience il cherchait l'exactitude et le ressenti. Comme Ouspensky il connaissait ces moments de lucidité délicate et fragile pendant le sommeil, quand les dormeurs sont conscients d'eux-mêmes. Connaissant bien *Les chants de Maldoror* d'Isidore Ducasse (il illustra le livre deux fois, en 1938 et en 1948), il se sera reconnu dans la strophe 3 du chant V :

«Cependant, il m'arrive quelquefois de rêver, mais sans perdre un seul instant le vivace sentiment de ma personnalité et la libre faculté de me mouvoir.»

26. LA LIGNE DE VIE (La femme au fusil). 1930.
Peinture à l'huile, 72 x 52,5. *Collection privée, Osaka.*

Le Problème des Titres

La signification des titres que René Magritte donna
à ses œuvres peut sembler d'une importance secondaire (secondaire par rapport aux œuvres elles-mêmes).
Pourtant si nous cherchons l'origine, l'histoire et le
but caché de ces titres obscurs et hermétiques, nous
touchons au cœur de la peinture surréaliste.

Quelques faits sont certains.

27. L'ODEUR DE LA CAMPAGNE LES FAIT AVANCER.
Avant 1930. Peinture à l'huile, (Magritte a écrit au dos de la
photo : «Titre mauvais. Bon titre à trouver).

Comme les rêveurs lucides expérimentés, Magritte
possède le pouvoir d'évoquer «une image» *à volonté*
et de la contrôler; cette image était toujours en rapport avec la réalité sauf pendant la période d'avant
1933. C'est le «rêve voulu», une expression qui est née
des lettres et des conversations avec ceux qui le connaissaient bien. La première fois qu'un lien caché entre
des objets ou entre des images se révéla dans le demi-
rêve, la tension dut être bien plus grande que par la
suite, quand Magritte reprenait ses tableaux, ce qu'il
faisait assez souvent. Essayer de déterminer les dates
réelles (sur ce point Magritte n'était ni soigneux ni
coopératif ou ne voulait pas l'être) a son importance
qualitative. Néanmoins, son pouvoir d'évoquer les
«images» *à volonté* a peut-être donné à certaines reprises
une importance nouvelle et plus grande. Quand «ses
reprises» ne bénéficient pas de ce don, elles sont souvent d'une qualité au-dessous de la moyenne.

28. LA GRANDE GUERRE. 1914. Peinture à l'huile, 18×60.
Collection Mme Anne-Marie Gillion Crowet, Bruxelles.

la littérature et avaient joué un rôle dans le mouvement surréaliste belge. Presque toutes avaient écrit des poèmes, des essais ou des aphorismes (Paul Colinet, Camille Goemans, Louis Scutenaire, Marcel Lecomte, Paul Nougé, E. L. T. Mesens, Pierre Crowet).

Dans les lettres, souvent difficiles à dater, qui se trouvent aux Archives des Musées Royaux à Bruxelles, on découvre des remarques qui montrent l'activité déployée par Magritte pour trouver de bons titres. Dans la lettre n°: 8905, il félicite Lecomte pour sa splendide trouvaille. Dans la lettre n°: 9554, il écrit que «le réveil matin» fera un bon titre. «Si l'on en trouve pas de meilleur. Si vous êtes stimulé par l'idée de recherche, vous me trouverez un titre plus ingénieux que celui que nous avons pour cette toile». Il réclame et ses poètes, parmi lesquels il faut faire une place toute spéciale à Nougé, sont là pour le servir.

En cours de route, Magritte établit de nouvelles règles auxquelles les titres devaient se plier. Ces règles sont basées sur sa vision de la nature et de la fonction

Magritte inventait toujours les titres *après* avoir peint l'œuvre. C'est souvent le cas mais pour le surréalisme en général et pour celui de Magritte en particulier, cela signifie qu'il faut séparer la genèse du thème des expériences, des objets, des évènements, bref des situations décrites par des mots. Si un thème nait indépendamment des mots, nous nous trouvons devant une contradiction, car en peinture, le surréalisme (et celui de Magritte en particulier) avait des liens avec la littérature. Cela a conduit des critiques trop hâtifs à chercher sa valeur dans son contenu littéraire et à laisser de côté les autres sources.

Selon ses parents et ses amis, Magritte inventait parfois lui-même ses titres, mais très souvent ils naissaient au cours d'une soirée, d'une conversation téléphonique ou d'un échange de lettres.

Le cercle des amis de Magritte n'était pas fait de peintres mais d'intellectuels et de personnes cultivées (avocats et autres) qui presque toutes s'adonnaient à

29. LA FONTAINE DE JOUVENCE. 1957. Peinture à l'huile, 49×60. *Collection Rudolf Zwirner, Cologne.*

de la peinture elle-même. Il semble que les titres, inspirés par les tableaux, auraient pu avoir une existence indépendante, parallèle à ces tableaux. Leur originalité parfois provocatrice réside dans le lien étrange qui les unit à l'image peinte.

Cet intérêt pour les titres et en particulier pour le rôle que Magritte voulait leur faire jouer est, autant que je sache, unique dans l'histoire.

En quoi consistaient les règles de Magritte? Il ne nous les a jamais exposées. Mais toute sa vie il a expliqué ce qu'il poursuivait dans ses œuvres et par ses titres. Il le fit dans de petites phrases aphoriques. Il cherchait à redonner vie à notre façon de voir les choses ordinaires de l'existence qui, précisément parce que notre façon de les voir était usée, étaient devenues pratiquement invisibles. Il voulait que nous retrouvions notre émerveillement originel devant les choses.

Dans une note inédite et sans date, en possession de Georgette Magritte, et intitulée «question du titre», il résume son attitude poétique:

«Je pense que le meilleur titre pour un tableau est un titre poétique». «En d'autres termes, un titre compatible avec l'émotion plus ou moins vive que nous ressentons en regardant une toile. Je suppose qu'il faut de l'inspiration pour trouver un tel titre. Un titre poétique n'est pas une espèce d'indication qui nous dit, par exemple, le nom de la ville représentée sur la toile ou le rôle symbolique attribué à une figure peinte. Un titre qui a une telle fonction ne demande aucune inspiration pour être donné à une toile. Le titre poétique n'a rien à nous apprendre; au contraire, il devrait nous surprendre et nous enchanter».

Magritte refusa toujours les titres explicatifs. Ses titres à lui exigent d'un public habitué aux titres qui l'aident à comprendre, un effort mental nouveau. Il n'y avait rien à comprendre, du moins au sens classique qui consiste depuis le 17ème siècle à utiliser le langage pour exprimer les idées, pour expliquer et élucider le contenu caché des tableaux et des textes.

Magritte était opposé à tout contenu caché ou symbolique. Dans une certaine mesure, les commentaires présupposent que l'image peut être remplacée par un texte interprétatif, ou du moins que l'image peut être traduite en mots. Comme Magritte ne pensait qu'à rendre les idées *visibles* par la peinture, il mettait justement l'accent sur «le visible» et le défendait contre «l'invisible».

Si Magritte rejetait toute explication quand il s'agissait de peinture, il l'acceptait sans réserve quand il s'agissait d'idées. «C'est l'idée qui permet «l'explication». C'est de l'idée qu'elle tire sa valeur. Que l'explication soit de nature théologique, métaphysique, psychologique ou biologique, elle est exprimée par l'idée qui explique sans jamais s'expliquer elle-même, quoiqu'il en paraisse» (note 12).

De ce point de vue, Magritte était dualiste et il s'attaquait à la vieille suprématie du mot écrit. Il fit, en ce qui concerne les origines de la peinture et du langage par rapport à la pensée, ce qu'aucun autre peintre n'avait fait avant lui, du moins avec ce mélange étrange d'intuition et d'analyse critique.

Par ses toiles et par ses titres (deux activités de l'esprit), Magritte isola les noms des objets et fit voir au spectateur de son œuvre le gouffre énorme qui sépare les mots de la vraie signification des choses. Il ne choqua pas par pure fantaisie capricieuse mais grâce à l'imagination analytique. Dans son cas, il faut mettre la fantaisie et l'imagination de côté. En réalité, tout cela est la conséquence d'un processus commencé au 17ème siècle, la coupure entre ce que l'on pouvait voir et ce que l'on pouvait lire, le commencement de la rupture entre l'œil qui observe, l'oreille qui écoute et la main qui écrit.

Deux œuvres célèbres de Nicolas Poussin, *Les bergers d'Arcadie,* première version (1629–1630, Chatsworth) et seconde version (1639–1640, Louvre) illustrent fort bien le processus de dégradation entre mot et image commencé au 17ème siècle.

Les titres ne deviennent abstrus que par l'inscription peinte sur la pierre tombale: ET IN ARCADIA EGO. Elle dérange l'image que l'on se fait habituellement de l'Arcadie.

30. LE REPAS DE NOCES. 1940. Gouache, 31,5 x 42. *Collection privée, France* (peint à Carcassonne au début de la guerre. Premier titre (écarté): Le Voyage.)

Elevé au Siècle de la Raison, pourvu d'une culture humaniste basée sur la lecture, Poussin saisit l'occasion pour poser des problèmes à ses interprètes érudits. Il se basait en effet sur des livres qu'il avait lus et en même temps il ajoutait du sien pour transformer son sujet mythique. On s'aperçoit grâce au traitement iconologique du thème que le besoin de rendre les choses visibles a remplacé en cours d'exécution ce qu'il avait lu et qui nous parvient de ce fait un peu déformé. En fait la fonction explicative du titre a été remplacée, par un texte qui s'est incorporé à la toile si bien que le titre n'en est plus un, au sens habituel où on l'entend.

Il y avait un abîme (non seulement pour Poussin lui-même mais aussi pour ceux qui regardaient ses toiles) entre ce qu'ils lisaient et ce qu'ils voyaient. Les érudits tentèrent de combler cet abime en montrant la prédominance du mot et donc de l'esprit.

Au 19ème siècle, les impressionnistes définissaient leurs titres (inutiles selon Magritte) en se référant à ce que l'on voyait sur la toile; par exemples: *Femmes au jardin, Femme à la robe verte, Gare Saint Lazare, Déjeuner sur l'herbe, Peupliers*. En 1874, quand on commença à employer le mot «impression», un début d'interprétation apparut dans les titres. Les tableaux s'appelaient alors: «Brume», «Lever de soleil», «Coucher de soleil». Mais ces titres se rapportaient encore aux réalités naturelles.

Ce fut Whistler qui à partir de 1864 abandonna les titres conventionnels et les remplaça par des mots poétiques et évocateurs qui ne se référaient pas aux objets représentés dans ses œuvres mais à leurs caractéristiques réelles. *(Portrait de la mère de l'artiste; Composition en noir et gris n° 1; La jeune fille blanche; Symphonie en blanc n° 2)*. Ces sous-titres marquent le début de *l'analyse picturale* à travers une évocation poétique. Ce changement fut immédiatement ressenti comme un affront, comme le montre le procès qui eut lieu entre Ruskin et Whistler en 1878. Le procès fut catastrophique pour ce dernier. Ruskin refusait de *voir,* irrité par les *mots* qui ne représentaient pas un concept lisible mais des manières de voir.

Au vingtième siècle, ce changement de fonction du titre, se développa dans deux directions. Les abstraits, Kandinsky en tête, utilisèrent des concepts tels que «Composition» ou «Improvisation». En poussant à l'extrême le concept de «Composition» on arriva à «Sans titre» que les artistes d'aujourd'hui utilisent encore. Ces artistes acceptent totalement la séparation entre image et mot et cherchent à faire voir les choses au public sans l'intermédiaire des mots. Les surréalistes (Ernst, Arp, Dali, Tanguy, Magritte) adoptèrent l'autre possibilité. Magritte fut le plus doctrinaire et aucun autre n'attacha autant d'importance que lui au fait de chercher et de définir les mots qui naissaient de l'image.

Il est très difficile de déchiffrer les titres de Magritte car il remplace le lien logique entre mot et image par un lien qui n'est ni logique ni interprétatif ni explicatif mais qui repose sur la «poésie visible», sur «la peinture pensante». C'est peut-être Paul Nougé qui a le mieux compris ce phénomène en cherchant la genèse des tableaux de Magritte dans une *puissance mentale* qui existe depuis toujours (voir le catalogue de Bruxelles, 1954).

Avec l'impressionnisme, «la culture optique» a atteint le summum de l'expression, avec le divisionnisme pour technique et l'analyse pour fondement. Il s'est aussi libéré de «la culture écrite» comme le montre la banalité des titres des tableaux impressionnistes. A partir de 1926, c'est à Magritte d'approfondir «la tradition du vu», de lui donner une vie nouvelle et de faire connaître l'émerveillement comme aux premiers jours.

Il cherchait à unir le contenu visible et les titres d'inspiration littéraire. Il y a ambivalence car il refuse en même temps toute explication littéraire, analytique et symbolique à leur sujet.

Magritte et les Linguistes

Les mots firent leur apparition dans les tableaux de Magritte vers 1928. En tous cas pendant son séjour à Paris de 1927 à 1930. Ce procédé est à relier aux formes qu'il peignit, dès 1926, *sans* mots pour commencer. Magritte constate qu'«il y a des objets qui se passent de noms» (note 13). A ce propos voir *Le prisonnier* (1926; fig. 31).

Ces formes représentent des surfaces blanches irrégulières dans des cadres de bois mal taillés. Il est impossible de deviner ce qu'elles signifient. En 1927, il peignit des objets (un chapeau, un miroir, un oiseau, un nœud papillon, une pomme, une chandelle) toujours sur des surfaces irrégulières mais sans les encadrer (voir *Le dormeur téméraire,* 1927; fig. 5).

En 1928 le cadre plutôt large réapparaît. Il fit alors *Le démon de la perversité* dans lequel on peut voir une forme étrange avec des ouvertures qui laissent apparaître des planches de bois aux veinures expressives, peintes avec une grande finesse. Les surfaces à l'intérieur des cadres ne sont plus blanches et elles représentent quelque chose. Par exemple *Le changement de couleurs* de 1928 représente des nuages dans un ciel bleu à gauche et l'obscurité de la nuit à droite. Sur la surface blanche, encadrée et ronde de la toile intitulée *Le sens propre IV* (1928–29), s'étalent les mots «femme triste» et *L'usage de la parole I* (1928-1929; fig. 33), présente une série avec ces mots «ceci n'est pas une pipe». A cette époque, 1928–29, on trouve des mots dans un grand nombre de ses toiles (note 14).

L'énigme du désir de Salvador Dali (1929) a pour sous-titre, «Ma mère, ma mère, ma mère». Cette toile rap-

31. LE PRISONNIER. 1926. Peinture à l'huile, 54 × 73. *Collection Mm Jean Krebs, Bruxelles.* (Formes indescriptibles sans mots).

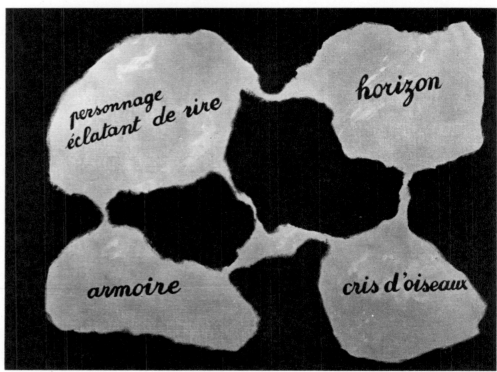

32. MIROIR VIVANT. 1926. Peinture à l'huile, 54 × 73. *Collection Mme S. Binder, Bruxelles* (Taches indéfinies avec noms).

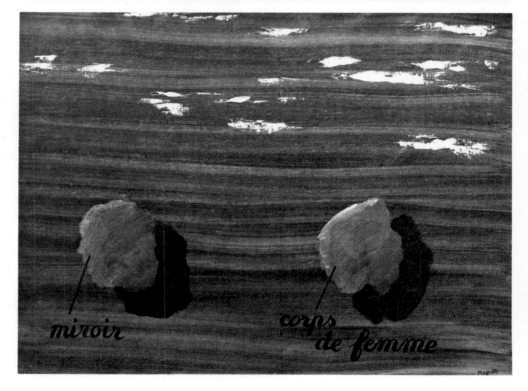

33. L'USAGE DE LA PAROLE. I. 1928–1929. Peinture à l'huile, 54 × 73. *Précédemment collection Mme Jean Krebs, Bruxelles.* (Formes indéfinissables avec ombre et noms de choses précises).

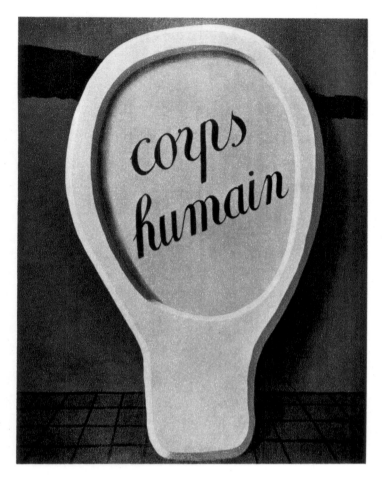

34. LE MIROIR MAGIQUE. 1928–1929. Peinture à l'huile,
74×55. *Collection L. Monti, Milan*. (Objet et son nom).

pelle la sculpture ornementale de Gaudi que Dali admirait beaucoup. D'autres y voient les lignes d'érosion de rochers, mais la forme est trop stylisée. En général, Dali peint l'érosion avec une précision plus réaliste, les mots «Ma mère, ma mère, ma mère», sont extraits du premier recueil de poèmes de Tristan Tzara, *La grande complainte de mon obscurité* de 1920. Les mots pour Magritte ont un but différent et leur histoire est tout aussi différente.

En 1929, Magritte et sa femme accompagnés de Camille Goemans et de Marcel Lecomte furent invités chez Dali à Cadaquès où ils passèrent cinq semaines. Eluard y resta aussi quelques jours avec Gala et leur fille Cécile. Ces rencontres étaient riches en émotion et non sans conséquences. En effet, Gala et Dali tombèrent amoureux l'un de l'autre et décidèrent de vivre ensemble.

Braque employa le premier les mots et les lettres en 1909. En 1911 Picasso et lui les utilisèrent non seulement comme élément de composition mais aussi, comme l'exprime Douglas Cooper, «en rapport avec le sujet de la toile, si bien qu'ils contribuaient au réalisme

de la composition» (note 15). Avec l'invention des papiers collés et des collages, on employa encore plus les mots en peinture. Dans les années 1920, Max Ernst et Joan Miró les employèrent aussi avec lyrisme et poésie.

Quand en 1925–26 le surréalisme apparut dans son œuvre, Magritte fit des collages plus figuratifs.

En 1929, il inventa une façon tout à fait originale de travailler. Les formes sans titres qu'il fit alors portent toutes un mot dont le sens nous échappe appliqué à ces formes. La relation qu'il établit entre une forme sans nom et un substantif chasse la forme et le substantif du monde des dénominations.

Suzi Gablik a fait un rapprochement très juste entre les écrits philosophiques et linguistiques de Wittgenstein, les textes de Magritte et ses peintures contenant des mots. Les deux hommes cherchèrent à démontrer que nous employons les mots d'une manière tout à fait *relative*. Il n'y a pas de lien logique entre ce qu'est l'objet et le nom qu'on lui a donné, qui ne représente pas ce qu'est l'objet *réellement*. Débarrassés de leurs noms, les objets retrouvent l'existence qui était la leur avant d'être enregistrés. Le langage perd son rôle classique.

Magritte demeure avant tout un peintre et ses intuitions sur le langage et les mots ne servaient qu'à définir le rôle de sa peinture. Il utilisait ces intuitions en pensant «aux images» sans connaître la linguistique moderne. Ce n'est que beaucoup plus tard, dans les années 60, qu'il lut *Les mots et les choses* de Michel Foucault, ouvrage qui se trouve toujours dans sa bibliothèque. Il s'enthousiasma en voyant qu'il existait un lien entre son œuvre de peintre surréaliste et l'œuvre des philosophes linguistes tel que Foucault.

Magritte et Foucault se découvrirent l'un et l'autre au même moment. Une phrase de Magritte écrivant à Marcel Lecomte (note 16) qu'il est en train de lire un livre magnifique, *Les mots et les choses* de Foucault, confirma l'impression que j'avais qu'il existait une affinité de pensées entre les deux hommes, difficile à expliquer mais néanmoins réelle. Cette impression fut renforcée par la découverte d'un autre livre de Foucault sur Raymond Roussel avec la dédicace suivante: «*Pour M. René Magritte ce livre du semblable au Ressemblant et du même en témoignage d'admiration*. M. Foucault».

Il y eut pendant quelque temps un échange de lettres entre les deux hommes et Foucault écrivit un long essai (note 17) dans lequel il analyse le processus mental de Magritte, devinant la signification et l'origine de la série de peintures intitulée «Ceci n'est pas une pipe». Foucault analyse avec précision toutes les interprétations possibles en suivant la méthode de Magritte qui consiste à inclure des mots et «l'image» d'un objet sur une seule et même toile. Les mots et l'image s'opposent violemment et l'idée que l'on se fait habituellement d'une pipe disparait.

Suzi Gablik qui ne savait pas à l'époque que Foucault et Magritte se connaissaient, ne se trompait pas en citant à propos de ce dernier *Les livres bleus et marrons et les investigations philosophiques* de Wittgenstein (que Magritte ne connaissait pas).

On trouve aussi dans les *Carnets 1914–1916* des réflexions remarquables sur les images, les choses, les mots et le langage, comme celle-ci: «L'image peut remplacer une description» (note 18).

Dans ses écrits, Magritte déclare: «Parfois le nom d'un objet tient lieu d'image. Un mot peut prendre la place d'un objet dans la réalité, une image peut prendre la place d'un mot dans une proposition» (note 19).

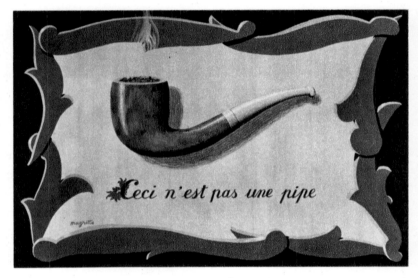

35. L'AIR ET LA CHANSON. 1964. Gouache, 35 x 54. *Collection privée*. (Appartient à la série «Ceci n'est pas une pipe»).

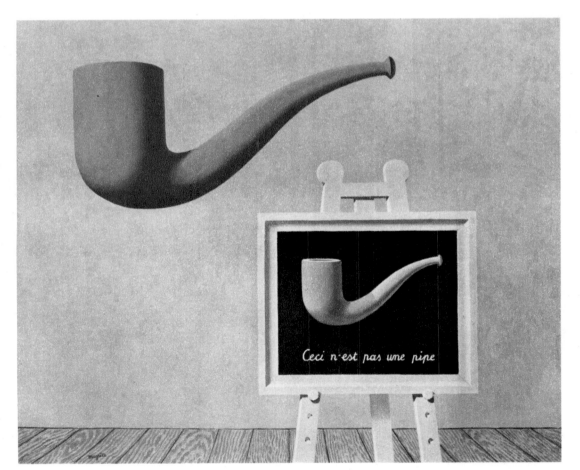

36. LES DEUX MYSTÈRES. 1966. Peinture à l'huile, 65 x 80. *Collection privée*. (Appartient à la série «Ceci n'est pas une pipe»).

33

Tandis que Wittgenstein écrit: «Le caractère commun à deux objets ne peut jamais être exprimé par le fait que nous leur donnons le même nom, mais au contraire suivant deux manières différentes de les désigner; car, puisque les noms sont arbitraires, on pourrait aussi bien en choisir d'autres: Et où serait l'élément commun d'appellation?... Nous devons nous souvenir que les noms ne sont pas des choses mais des classes: A est la même lettre que 'A'» (note 20).

Après Wittgenstein et Foucault il ne faut pas oublier de citer un pionnier de la linguistique, Ferdinand de Saussure. Un certain nombre de points que Magritte jugeait fondamentaux se rapprochent des déclarations de Saussure, antérieures à celles de Wittgenstein.

Quel étaient ces points fondamentaux? On peut suivre l'évolution de Magritte dans les années 20, sa lente progression par élimination des choses qui ne l'intéressaient pas. L'avant-garde cubiste, futuriste et abstraite qui était devenue célèbre, offrait une base de recherche suffisante pour quelques années encore.

Mais vers 1925, insatisfait, Magritte découvre la vraie nature de ses réactions mentales et physiques face au monde. Il s'attaque à des sujets qui exigent d'autres moyens que ceux que lui offrent l'avant-garde. Il est stimulé par l'œuvre de Giorgio de Chirico et par la production de Max Ernst de 1921–1924. De Chirico juxtaposait des objets apparemment étrangers les uns aux autres, sans raison apparente, au fil de ses sensations dans une atmosphère déprimante de paysages moitié-imaginaires, moitié-vrais.

Puis Magritte découvrit son propre «climat», parmi les écrivains surréalistes belges. Il entra aussi en contact avec les artistes réunis autour d'André Breton pendant son séjour de trois ans près de Paris.

Ce que l'on peut dire, sans approfondir la question, c'est que son besoin de peindre était double, acoustique et visuel. L'image du monde qui se composait dans l'esprit de Magritte dépendait de ces deux éléments. La fusion de l'acoustique et du visuel donnait «l'image».

Le terme «acoustique» suggère plus que les termes «mots», «langage» ou «littérature». Le terme «acoustique» se rapporte à la musique et aux mots, dont le fondement, selon les linguistes, est acoustique. Le premier élan audio-visuel englobe les œuvres dans lesquelles les mots apparaissent et celles où ils n'apparaissent pas.

En voyant des formes, Magritte entendait les mots qui les font vivre dans l'esprit des hommes.

Tandis que les mots devenaient plus clairs, sa conscience critique les séparait de l'objet. Il était pris entre deux éléments évocateurs: les choses et les mots. Pourtant cela ne veut pas dire qu'il n'y avait pas d'interférences entre ces deux éléments dans l'esprit de Magritte même s'il n'en était pas pleinement conscient au début.

Psychologiquement, les sons avaient une grande importance pour Magritte. Il aimait entendre de la musique en travaillant. Il demandait souvent qu'on lui joue du Brahms ou tout autre compositeur. Quand il le désirait, sa femme devait lui jouer du piano. Il admirait Mallarmé et la musicalité de ses vers ainsi que de sa prose qui ne pouvait qu'augmenter l'attrait qu'il exerçait sur lui. Bientôt il douta et de l'image et du mot vus, entendus ou lus. Il remplace alors la couleur d'un corps de femme, d'une pomme, par une couleur autre que celle que l'on emploie généralement pour les représenter. Le mot ne correspond pas forcément à l'objet qu'il représente. L'objet peut être remplacé par un mot. L'interchangeabilité détruit la crédibilité du signe conventionnel.

C'est sur ce point que les conférences philosophiques et linguistiques de Ferdinand de Saussure et les découvertes de Magritte se rejoignent. Quelques citations de Saussure le montrent: «Le lien unissant ce qui signifie (l'image acoustique) et ce qui est signifié (le concept) est arbitraire, ou encore puisque nous comprenons l'aide d'un signe, qui est la somme résultant de l'association d'un signifiant et d'un signifié, on peut dire plus simplement: *le signe linguistique est arbitraire*. Ainsi le concept «sœur» n'a pas de lien intrinsèque avec la succession de sons (s-ö-r) qui sert à le signifier; on pourrait tout aussi bien le représenter par un autre signe... ce qui est prouvé par la différence

34

qui existe entre les langues et par l'existence même de langues différentes...»

Saussure écrivait aussi «...l'unité linguistique est une dualité, la rencontre de deux termes».

«Nous avons vu, en ce qui concerne le mot, que les termes impliqués par le signe linguistique sont mentaux et unis dans notre cerveau par le lien d'association...» *«Le signe linguistique ne lie pas une chose à un nom,* mais un concept à une image acoustique. Cette dernière n'est pas le son réel, qui est une chose purement physique, mais l'effet mental produit par ce son, la représentation donnée par nos sens...» (note 21).

Tout cela montre clairement la position particulière de Magritte parmi les surréalistes, différente de celle de Ernst, Dali et Tanguy. Il introduit dans la peinture des éléments qui changent le *rôle* de la peinture. C'est l'une des raisons pour lesquelles nous ne pouvons approcher son œuvre par la méthode traditionnelle et descriptive ou par l'analyse esthétique.

Pensées Impensables

Quand en 1965, Magritte visita New York pour la première et la dernière fois, à l'occasion de l'exposition de ses œuvres au Musée d'Art Moderne, le monde des arts américain lui réserva un accueil spectaculaire et extravagant. Mais Magritte ne se laissa pas détourner de son but. Comme me l'a dit Dora Ashton, «l'une de ses premières excursions (et peut-être la seule) fut pour la maison de Poe». Et elle ajoute: «la plus importante rencontre qu'il fit à New York fut celle avec Edgar Allan Poe».

Ceux qui l'accompagnèrent dans ce voyage le confirment. Magritte fut ému. Son pèlerinage sur les lieux où vécut et travailla Poe montrait l'importance du lien qui existait entre le peintre et l'écrivain américain depuis les années 1920, quand on commença à chercher au 19ème siècle les origines du concept surréaliste et de l'attitude envers la vie des surréalistes.

On peut expliquer l'intérêt de Magritte pour *Les histoires extraordinaires* par les observations quasi philosophiques et psychologiques qui s'y trouvent exposées dans un style littéraire raffiné et musical. Paysages imaginaires, évènements extraordinaires, comportement anormal, perversion, folie, passion du jeu, ivresse, crime, tout fut analysé. La mort est toujours présente en filigrane, sur le point de survenir, survenant ou déjà survenue. Des histoires horribles de cercueils succèdent à de remarquables dialogues entre la vie et la mort («L'enterré vivant, Colloque entre Monos et Una, Entretien d'Eiros avec Charmion, La Caisse oblongue».

Les expériences de jeunesse de Magritte peuvent aussi expliquer cet attrait: le suicide de sa mère qui se jeta dans une rivière et que l'on retrouva la tête recouverte de sa chemise de nuit; ses promenades dans les cimetières; ses expériences macabres avec des cercueils (voir le commentaire sur *Perspective: Madame Récamier David* et *Perspective: Le balcon de Manet*).

La visite de Magritte à la maison de Poe fut une visite à l'Autre, à ses propres ténèbres, à sa propre ombre. Il crée une philosophie à caractère littéraire à partir des écrits de Poe. On y trouve des remarques sur l'homme, sur la vie et sur la mort qui impliquent la réflexion et aussi l'imagination. Elles sont, même dans leur forme peu élaborée, fondamentales pour une ligne de pensée anti-classique du 19ème siècle qui confronte l'impensable ou tout ce qui se trouve au-delà de la pensée exprimée en signes et en mots.

Dans un poème d'amour sans titre dédié à Marie-Louise Shew, Poe écrit:

«Il n'y a pas longtemps, l'auteur de ces lignes, dans un fol orgueil d'intellectualité, maintenait «la puissance des mots» – niait que jamais pensée surgit dans le cerveau humain, supérieure à son énonciation par la langue humaine.

Mais «la puissance des mots» faiblit sous la pression «des pensées comme il ne s'en place point et qui sont l'âme de la pensée; de plus riches, de bien plus étranges, de bien plus divines visions que le séraphique harpiste Israfel même (qui «a la plus suave voix de toutes les créatures de Dieu») ne saurait prétendre énoncer.

Car ce n'est point parler, ce n'est point penser, ce n'est point sentir:

«cette immobile station sur le seuil d'or de la grille grand ouverte des rêves».

«Pensées impensables», voilà ce qui nous vient du 19ème siècle comme un éclair poétique et philosophique qui nous éblouit toujours, un bouillonnement qui mine la logique.

Mais Poe n'est pas un penseur; il reste dans les limites de la poésie. Dans «le principe de la poésie», «la raison d'être du vers» et «la philosophie de la com-

position», analyse moderne de la technique poétique, il ne manque pas de remarquer l'importance «d'un peu de complexité» et «d'un peu de sens sous-jacent, même vague». Dans sa prose, Poe parle de «l'intelligence poétique» (celle qui a été la plus louée) puisque les vérités qui pour nous étaient de la plus grande importance ne pouvaient être révélées que par cette sorte d'*analogie* qui ne parle qu'à l'imagination et qui n'est d'aucun prix pour la raison seule…» (Colloque entre Monos et Una). Poe se cramponnait au rationnel pour s'opposer à l'anxiété, à la terreur, à l'étonnement et au dégoût propre à sa personnalité pleine d'irrationnel et d'impensable.

On retrouve «l'intelligence poétique» dans l'imagination de Magritte. Il s'en sert pour trouver les ressemblances cachées entre des éléments très différents; elle est à l'origine d'un grand nombre de ses «images». Cela n'empêche pas que le fondement de

37. LE CIEL PASSE DANS L'AIR. Peinture à l'huile, 65 x 80.

38. LE GOÛT DE L'INVISIBLE. 1928. Peinture à l'huile, 74×99. (Formes précises ressemblant à celles de Joseph Sima (1891–1970) qui travailla beaucoup à Paris entre 1926 et 1932).

tout est l'exploration de domaines nouveaux, que certains appellent l'inconscient et d'autres l'impensé, comme Michel Foucault qui écrit: «Toute la pensée moderne est traversée par la loi de penser l'impensé» (note 22).

Foucault se rend compte que la pensée de l'homme moderne sur lui-même est de plus en plus centrée sur l'Autre, l'Étranger, le Compagnon de l'Ombre. Ce qui est impensé et qui, il n'y a pas longtemps encore dépassait l'homme, commence à jouer un rôle important dans les questions sur la possibilité d'une vie qui ne serait pas uniquement expliquée par les mots et par les pensées. Il faut lever le voile de l'inconscient, se perdre dans le silence pour écouter ses murmures lointains.

Dans «L'Homme des foules», Poe invente des personnages qui appartiennent à «la race des commis», tous habillés pareil, portant chapeau melon, tels que

Magritte les a peints. Au moins cinq peintres s'intéressèrent à cette figure avant Magritte: De Pisis (1919), Carra (1916), De Chirico *(Le cerveau de l'enfant,* 1914; fig. 13), Georges Grosz *(Les automates républicains,* 1920) et Max Ernst *(Pietà ou la révolution de la nuit,* 1923; fig. 14).

Mais personne ne maîtrisa ce thème comme Magritte. Il est impossible, sans catalogue de ses œuvres complètes, de dire combien de fois il le peignit. Moi-même j'ai relevé 25 porteurs de melons (sans compter les dessins), dont quatre seulement furent peints entre 1926 et 1929.

Le premier numéro de *Variétés* du 15 mai 1928 reproduit un petit homme, de dos et de face, en chapeau melon sur une plage. Entre 1948 et 1966; j'ai compté 21 de ces figures. Avant 1930, le personnage a peu d'importance. Il apparaît dans les années 50, de face ou de dos, sur un fond généralement clair.

Les rapports de Magritte avec cette figure sont très intéressants. On est tenté d'y voir une projection de soi. Mais c'est peu probable car en peinture, Magritte ne concentre pas son attention sur les objets ou sur les personnages.

Ce qui l'intéresse c'est de trouver des rapports bizarres entre les objets ou entre les gens et les objets. Il leur ôte leur étiquette et leur redonne une fraîcheur originelle.

De plus Magritte a trop peur de l'introspection pour se projeter lui-même dans ses toiles. Il évite même à une certaine époque de peindre les têtes de ses personnages. Il les cache sous un chiffon, il les coupe ou il place une pomme, un oiseau, un bouquet de fleurs devant elles. Dans ses périodes les plus ésotériques, il ôte aux visages leurs traits caractéristiques et leur donne l'expression de «la tribu des employés», le regard sans expression des mannequins de celluloïd.

Il préfère de beaucoup peindre les personnages de dos. Qui peut reconnaître son propre dos? Magritte

39. LA FATIGUE DE VIVRE. 1926. Peinture à l'huile, 72,4 x 100. *Collection privée, Belgique.*

40. LA REPRODUCTION INTERDITE. (Portrait d'Edward James). 1937. Peinture à l'huile, 79 x 65,5. *Fondation Edward James, Chichester, Sussex.*

41. LE PRINCIPE DU PLAISIR. (Portrait d'Edward James). 1937. Peinture à l'huile, 79 x 63,5. *Fondation Edward James, Chicester, Sussex.*

aime regarder le dos de l'homme au chapeau melon. Il regarde avec lui l'Indéterminé. Comme Poe dans «l'homme des foules», il voit sa victime de dos, marchant vers quelque destination mystérieuse si destination il y a.

Dans «l'Homme des Foules», Poe décrit les habits de ces êtres anonymes et respectables, leurs oreilles, leur cravate, leur chapeau, leur façon de marcher. Quand la figure qu'il poursuit dans la nuit se retourne, on est surpris, en proie à une agitation intense; c'est le moment où l'on reconnaît l'Autre. C'est «Le spécimen et le génie du crime» qui refuse d'être seul. Mais en vain, car au sein de la foule, il n'y a pas de véritables contacts. L'aliénation ne diminue pas; au contraire, elle ne fait qu'augmenter.

A Londres en 1937, Magritte décida de faire le portrait d'Edward James. Il ne ressemblait en rien à un «homme des foules». C'était un poète et un écrivain, auteur d'une nouvelle (Le jardinier qui vit Dieu, 1937),

peintre à ses heures, ami des surréalistes, Dali (qui lui fit connaître Magritte à Paris), Fini, Carrington, Mesens, Tchelitchew, Eluard, Breton, Penrose. Il soutenait financièrement le *Minotaure* dans lequel il publiait essais et nouvelles.

Les deux portraits que fit Magritte (avec l'aide d'un photographe) ne transformèrent pas cet anglais individualiste à l'extrême et excentrique en «homme sans visage» mais en «homme au visage invisible». Magritte le peint de dos, debout devant un miroir (fig. 40) qui nous renvoie, contre toute logique l'image de son dos. Près de lui se trouve l'édition française des *Aventures de Gordon Pym* d'Edgar Allan Poe.

Le second portrait est un portrait de face, dans le noir. Les doigts de la main droite reposent sur une table comme pour une séance de spiritisme, le visage s'est transformé en une boule de lumière radiante, qui s'étend sur les épaules et sur la poitrine (fig. 41). Cette toile a pour titre, *Le principe du plaisir*. Les deux por-

42. LE CHANT DE LA VIOLETTE. 1951. Peinture à l'huile, 100×81.

43. LE FILS DE L'HOMME. 1964. Peinture à l'huile, 116 x 89. *Collection Harry Torczyner; New-York.*

44. LA CARTE POSTALE. 1964. Peinture à l'huile, 70 x 50.
Collection privée.

traits représentent un individualiste acharné, l'opposé de «l'homme des foules», l'étrange et mystérieux Edward James que personne ne réussit à voir. De la même façon qu'il nous cache le visage d'Edward James, Magritte se cache de nous. Il poussait si loin ce besoin de se fondre dans la foule qu'il n'avait pas d'atelier proprement dit. Il peignait là où il en avait envie, dans la salle de séjour, dans le salon, la cuisine ou la chambre à coucher. Cette attitude correspond exactement à l'idée que l'on se fait de «l'homme des foules» occupé à préparer la dynamite de ses inventions loin des regards curieux non pas pour faire comme tout le monde mais pour camoufler son activité.

On n'a pas assez insisté sur le fait que Magritte, comme les autres surréalistes, rêvait d'une société dif-

férente, meilleure que celle qu'il connaissait et qu'il n'acceptait pas. Dès 1926, et plus particulièrement entre 1930 et 1933, on discutait vivement les problèmes de cet engagement à gauche parmi les artistes. Le sujet revenait périodiquement dans *Le surréalisme au service de la révolution* que dirigeait André Breton. D'ailleurs les militants communistes se méfiaient des révolutionnaires surréalistes et ceux-ci prenant part dans la controverse entre Staline et Trotsky penchaient plutôt pour ce dernier, ne voulant pas se conformer aux directives du Parti.

Une fois encore Paul Nougé, dans le n°: 5 du *Surréalisme au service de la révolution* du 15 Mai 1933, prit le parti de Magritte et de sa «nouvelle manière de voir qui n'était pas une simple manière de «regarder».

En 1934, René Magritte, E. L. T. Mesens, Paul Nougé, Louis Scutenaire et André Souris signèrent «l'action immédiate» dans l'*Intervention surréaliste* (Documents 34, n°: 1 Juin). Le journal s'inquiétait vivement du pouvoir chaque jour grandissant des fascistes. Les cinq belges voulaient mener une campagne révolutionnaire, poétique différente de celle du Parti communiste et qui entraînerait les gens dans des expériences inhabituelles, qui leur ferait entendre des mots inattendus et briserait les barrières de leur entendement.

Magritte représentait l'homme au chapeau melon seul ou avec son double. Parfois il en peignait tant que ces hommes devenaient la foule. Dans *Golconde* ils sont si nombreux qu'ils envahissent le ciel et l'occupent comme un essaim obsessif.

Il était rare que Magritte s'abandonne à une seule impression, une seule vision dans ses peintures. Presque toujours son esprit, plein d'association d'idées et de comparaisons, interrompait l'émotion poétique; c'est pour cela que la dernière image n'est ni tout à fait pensée, ni tout à fait sentiment; elle est incomplète. Incomplète aussi en tant qu'image car elle reste difficile à définir au sens classique et romantique du terme.

L'intervention de l'esprit dans la formation de l'image correspond au sentiment de l'Autre beaucoup plus développé chez Magritte que chez la plupart d'entre nous.

«Pensées impensables» est, à mon avis, la meilleure façon d'exprimer l'idée image-pensée telle qu'elle résulte du pouvoir d'observation et d'assimilation de l'artiste.

Magritte et Samuel Taylor Coleridge

Etablir un rapport entre Magritte et Coleridge n'est pas aussi insensé qu'il puisse paraître. Magritte qui n'avait pas lu une seule ligne du fameux poète anglais du 18ème siècle a pourtant une structure d'imagination analogue à la sienne. Coleridge était un poète instruit en théologie et en philosophie, lié aux philosophes allemands de son époque et Magritte, un peintre belge du 20ème siècle, sans connaissances particulières en philosophie et en littérature, bien qu'il s'intéressât aux deux (il lisait Hegel, Fichte et Heidegger). Il est donc indispensable de franchir quelques obstacles avant d'établir un rapport entre les deux hommes.

Le rapprochement se fit par l'intermédiaire d'Edgar Allan Poe qui exerça sur Magritte, comme je l'ai montré, une influence plus profonde encore que celles de ses auteurs préférés, plus proches de lui dans le temps, Lautréamont (Isidore Ducasse), Villiers de l'Isle Adam, Mallarmé, Valéry et Roussel. «L'attachement de Poe aux idées de Coleridge était presque celui d'un esclave...» écrit Edward H. Davidson (note 23). Magritte n'en était pas là, mais il avait lu presque tout Poe, *Les histoires extraordinaires* et aussi les essais théoriques moins connus («Le principe de la poésie», «La philosophie de la composition») et les dialogues philosophiques sur la vie et la mort («colloque entre Monos et Una» et «Entretien d'Eiros avec Charmion»).

Ainsi à travers Poe, Magritte était sensible aux idées de Coleridge. Magritte ne s'intéressait pas à Poe par simple curiosité littéraire mais plutôt parce qu'il se reconnaissait en lui. Magritte appartient à la même famille spirituelle que Coleridge, Wordsworth et Poe qui par certains côtés se rattachent aux poètes et aux philosophes idéalistes et romantiques allemands.

Magritte était très indépendant. Il se méfiait de toutes les nouveautés. Il prouve sa force de caractère en résistant à une influence aussi puissante que celle d'André Breton pendant son séjour à Paris. A cette époque, il refusa par principe, de s'associer aux divers courants surréalistes. Quelquefois pourtant il se sentait attiré par d'autres artistes, par d'autres œuvres. Par exemple, entre 1920 et 1925, il s'intéressa beaucoup aux toiles de Max Ernst comme le montre le petit tableau représentant une main et un oiseau (1925; fig. 2). Il s'inspira, je l'appris de Felix Labisse, d'une décoration murale de Ernst exécutée en 1922 pour la maison de Paul Eluard à Eaubonne. Alors que Magritte avait bel et bien abandonné le cubisme et le futurisme, Ernst continuait à s'en inspirer. Pour lui, la fantaisie est plus riche que l'imagination. Pour Magritte c'est l'imagination qui domine.

La distinction entre «fantaisie» et «imagination» fut développée par Coleridge qui donnait plus de prix à l'imagination. Car pour lui la fantaisie est capricieuse, sans méthode et engendre des images irréelles, fantastiques et fausses. L'imagination forge des images mentales à partir de choses vues mais aussi à partir de choses inconnues ou même inexistantes. Elle déforme la vue des choses à l'aide de la comparaison ou les associe d'une manière nouvelle.

Baudelaire fut ravi de trouver en 1859 une citation de Coleridge qui confirmait ses propres idées (note 24): «Par imagination je ne veux pas seulement exprimer l'idée généralement impliquée par ce mot trop galvaudé, qui n'est que fantaisie, mais l'*imagination créatrice*, qui est une activité bien plus importante...»

Baudelaire a traduit «*constructive imagination*» par «*imagination créatrice*». Il est étonnant que les critiques d'art continuent encore à classer l'œuvre de Magritte dans «*l'Art fantastique*» ignorant la distinction faite par Coleridge. Magritte lui-même était convaincu que l'imagination créatrice était, plus que la fantaisie, à la base de son œuvre.

La force de Magritte réside dans son pouvoir de

créer la *poésie visible* à l'aide d'une idée pleine de mystère. Pour Magritte, sans mystère rien n'existe. Il faisait aussi une distinction subtile entre la *ressemblance* et la *similitude,* préférant la première.

Pour comprendre le procédé mental de Magritte au travail, il faut sans cesse se rappeler qu'il fait des comparaisons. Pour cela il fait marcher sa mémoire. Alors l'imagination créatrice découvre et révèle les ressemblances entre ce que l'on appelle la *différence* et «l'autre». Le but de son activité est de libérer les choses de leur nom trompeur, de leur contenu social, moral et linguistique pour leur donner un caractère mystérieux, neuf et simple comme aux premiers jours. C'est ce qui fait de lui un pionnier du monde de la peinture. Il cherche, comme l'écrit si poétiquement Henri Michaux à «dévoiler le normal, le méconnu, l'insoupçonné, l'incroyable, l'énorme normal» (note 26).

Déjà on commençait au 19ème siècle à battre en brèche, dans le domaine philosophique, littéraire et scientifique la conviction du 17ème siècle selon laquelle ce que nous lisons et ce que nous voyons sont une seule et même chose. La pensée analytique fondée sur la raison ne se préoccupe pas de l'irrationnel. L'art de Magritte ébranle la belle assurance de la raison et différencie représentation et contenu, apportant ainsi des modifications à notre vision de l'espace. Il fait ainsi du doute une force créatrice.

Les cubistes et les futuristes créèrent une perspective nouvelle, tout en continuant à combiner les objets et tous les éléments qui les entourent dans un tableau, les imbriquant les uns dans les autres dans l'espace.

Magritte réintroduit en peinture l'élément de comparaison interne et reprend ainsi un procédé du 16ème siècle qui permet d'arriver à la connaissance par des comparaisons sans fin. Il fait plus : il bannit l'élément temps ce qui lui permet de représenter *simultanément* des choses qui d'ordinaire ne peuvent être vues ensemble. Mais les comparaisons de Magritte sont de notre temps. Elles appartiennent à notre monde troublé, méfiant et incertain où le rêve, l'absurde, l'irrationnel et l'insensé réclament une place. Contrairement aux poètes du 19ème siècle, comme Hölderlin,

Novalis et Keats qui aiment à contempler les ruines de mondes ensevelis au clair de lune ou celles de la Grèce Antique, l'homme moderne contemple ses propres ruines. Il n'a pas le temps de s'abandonner aux langueurs nostalgiques.

Magritte peint d'étranges ruines au bord de la mer, une porte ouverte, les vestiges absurdes d'un édifice et l'esprit puissant et inconscient de l'homme. Il peint des fragments, des balustrades, des planches et des morceaux de corniches. Propositions pour une nouvelle société? Restes d'un autre âge? Il s'en dégage une sinistre poésie.

Coleridge parlant de la poésie, «l'instrument direct et naturel de l'activité de l'esprit» qui «saisit des rapports cachés et non-logiques, qui voit et symbolise un objet par rapport à un autre et montre les choses sous un angle nouveau» (note 26), exprime exactement ce qui inspire Magritte.

On peut pousser plus avant la comparaison entre les deux hommes. Ceux qui connaissaient Coleridge, comme Thomas de Quincey, affirmaient qu'il appartenait «à cette sorte d'esprits rares qui ne peuvent voir une chose sans qu'elle lui en suggère une foule d'autres». Pour Stephen Prickett, il est «cet esprit ouvert dans toutes les directions, ce pouvoir de sentir un grand nombre de relations simultanément» (note 27).

Wordsworth, ami intime de Coleridge aimait lui aussi se servir des ressemblances pour transformer des images. Ainsi, il nous fournit l'image d'un énorme rocher au sommet d'une montagne absolument déserte et personne ne comprend comment un tel rocher a pu arriver jusque là. Il finit alors l'image en décrivant une otarie sur un rocher. De la même manière Magritte représente un énorme morceau de granit en équilibre au bord d'un précipice *(La clé de verre,* 1959).

Contrairement à Valéry et à Poé, Magritte parlait de «l'apparition» des ressemblances plutôt que de leur «découverte». Il parlait «d'inspiration» plutôt que de l'illumination qui provoquait en lui une sorte de panique. L'éclair d'inspiration était intense, comme une naissance. Il lui était impossible de l'expliquer. Il

45. L'OBJET (L'ŒIL). 1932. Huile sur panneau, 25 x 25.
Collection Mme Georgette Magritte, Bruxelles.

était saisi par son mystère et sa courte durée (note 28). Dans une lettre du 9 Mai 1967, peu avant sa mort, il écrit: «Mais les rares moments où j'ai vraiment une impression de mystère ne font pas partie de la période d'étrangeté» (note 29).

On pourrait écrire tout un chapitre sur le rôle des portes dans l'œuvre de Magritte. Derniers vestiges d'un édifice disparu, portes closes dans lesquelles Magritte tout à coup perce un trou qui nous laisse voir une rue ou la mer, portes ouvertes dans un espace vide, elles ont toutes un caractère commun: elles parlent à l'esprit. Elles témoignent d'un évènement brusque qui s'est produit. Parfois, Magritte les enfonce ou les entr'ouvre pour laisser entrer les nuages. Pour nous, elles séparent le visible de l'invisible.

On pense à Gérard de Nerval parlant dans *Aurélia* de «dépasser les portes qui nous séparent du monde visible» et affirmant, «je n'ai pu percer sans frémir ces portes d'ivoire ou de corne qui nous séparent du monde invisible».

LES DESSINS

En 1922, Magritte dessinait pour gagner sa vie. Il créait des papiers peints, illustrait des cartes d'invitation et faisait des dessins publicitaires pour des maisons de mode. Ces dessins devaient satisfaire le goût du public et les nécessités commerciales.

Magritte dessinateur découvre de nouvelles idées sans y penser, souvent en faisant autre chose. Il aimait dessiner sur les lettres qui se transformaient souvent en une suite de dessins. Il ne faisait pas de jolis dessins mais des dessins spirituels, agressifs et cyclothymiques qui provoquaient des chocs.

Il illustra les poèmes de Paul Eluard, E. L. T. Mesens, Louis Scutenaire et *Les chants de Maldoror,* en 1928 en collaboration avec d'autres dessinateurs, et seul en 1948 (Bruxelles: La Boetie 77 dessins). Pour illustrer il donnait libre cours à son imagination (voir fig. 49 une esquisse inédite pour *Les chants de Maldoror).*

Magritte commença assez tard la lithographie. Il voyait là un moyen de mettre ses œuvres à la portée de tous les publics. Après sa mort, un certain nombre de lithographies furent imprimées et vendues accompagnées de commentaires de sa femme Georgette.

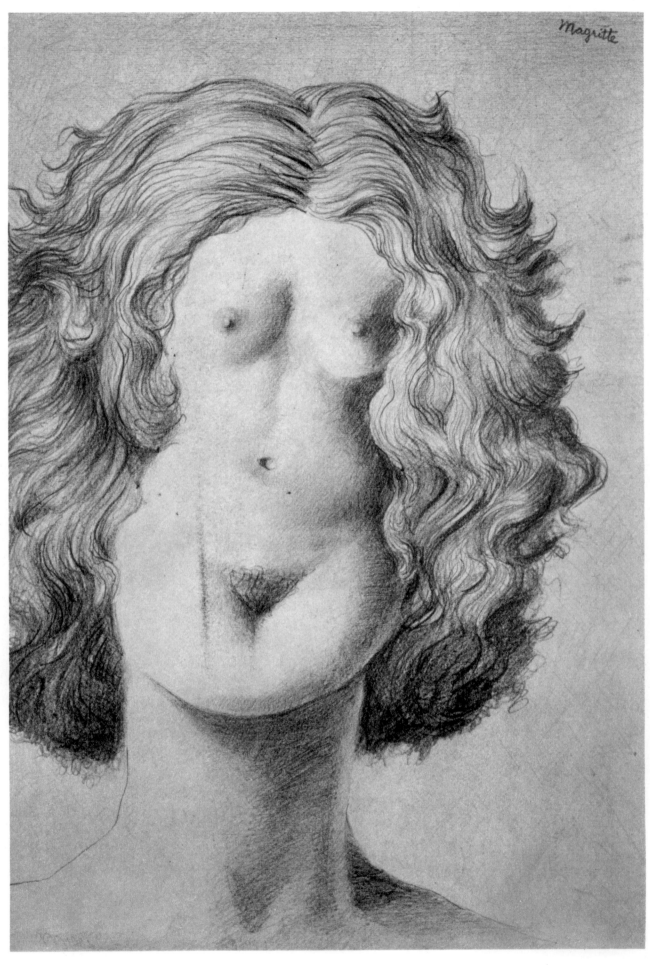

46. LE VIOL. Crayon, 37 x 25. *Collection privée, Bruxelles.*

47. DESSIN 1929? Crayon noir, 34 x 23. *Collection Louis Scutenaire, Bruxelles.*

48. Dessin. 1964. Conté, 30,5 x 23. *Collection Alexandre Iolas, New York, Genève, Milan, Paris.* (Il existe une autre toile, l'Automate (1928), traitant le même sujet).

49. Dessin. Illustration pour *Les chants de Maldoror.* 1947. Crayon, 23,5 x 19,5. Collection Harry Torczyner, New York. (On retrouve certains éléments de ce dessin dans L'annonciation, 1929).

50. LE COLLOQUE SENTIMENTAL.
1945–48. Sanguine sur fond rouge,
36 × 45. *Collection privée, Bruxelles.*

LE CHANGEMENT DE VITESSE

51. LE CHANGEMENT DE
VITESSE. 1951. Crayon de couleur,
28 × 21. *Collection Isy Brachot,
Bruxelles et Knokke-te Zoute.*

52. Dessin. 1964. Crayon marron, 23 x 30,5. *Collection privée.*

53. Dessin et collage. 1931. 43 x 30,5. *Collection Mr et Mme Jack L. Wolgin. Philadelphie.*

54. VARIATIONS SUR UN
VISAGE. 1967. Encre, 27×20.
*Collection Harry Torczyner,
New York.*

LE SENS DE LA PROFONDEUR

55. LE SENS DE LA
PROFONDEUR. 1951. Crayon de
couleur, 20×21,5. *Collection
Isy Brachot, Bruxelles et Knotte-le
Zoute.*

56. LA TEMPÊTE. 1927. Crayon,
18×23,5. *Collection Harry Torczyner,
New York.*

LES HUIT SCULPTURES
DE MAGRITTE

L'idée de Magritte de faire huit sculptures à partir de huit de ses peintures n'a pas remporté tous les suffrages et le fait de les exposer après sa mort sans qu'il ait vu les moulages, encore moins.

Mais Magritte avait des idées très précises sur ce qu'il voulait faire dans le domaine tridimensionnel. Il ne se simplifiait pas la tâche : il fit des projets très précis ; il chercha autour de lui des objets qui expriment ses idées ; il fit un cercueil spécial pour Madame de Récamier et des moulages sur un homme vivant pour *Le thérapeute*. Il apporta quelques corrections à deux modèles en cire à la fonderie de Vérone et les signa le 23 juin 1967. Moins de deux mois après il mourait sans voir les moules définitifs.

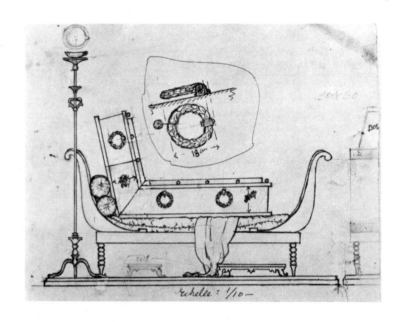

57. MADAME RÉCAMIER DE DAVID. 1967. Bronze, hauteur 120.

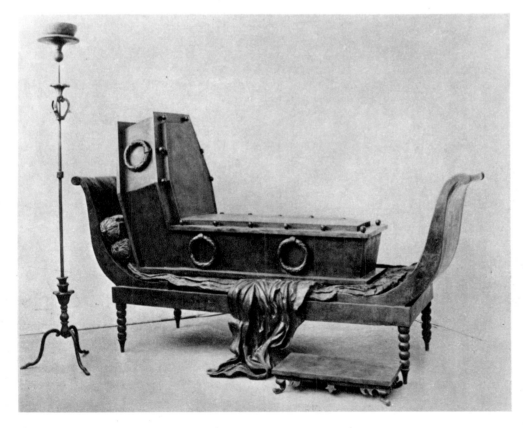

58. ETUDE POUR MADAME RÉCAMIER DE DAVID. Crayon et stylo à bille, 20,5 x 26.

53

59. LA RACE BLANCHE. 1967. Bronze, hauteur 52.

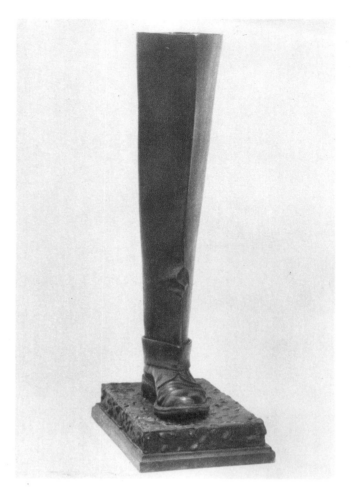

61. LE PUITS DE LA VÉRITÉ. 1967. Bronze, hauteur 80.

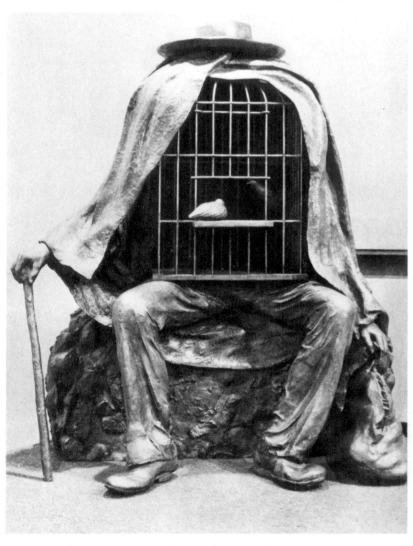

60. LE THÉRAPEUTE. 1967. Bronze, hauteur 160.

62. LA JOCONDE. 1967. Bronze, hauteur 245.

Il fut fait cinq copies de chaque œuvre. La collection complète fut exposée pour la première fois à la Galerie Isy Brachot à Bruxelles, puis en 1968 à la Hanover Gallery de Londres et enfin en 1972 à la Gimpel-Hanover Gallery de Zurich avec des commentaires d'Alexandre Iolas.

Magritte ne chercha jamais à utiliser les possibilités plastiques et spaciales qu'offre la sculpture. Pourquoi, alors faire des sculptures ? Pourtant il apporte quelque chose de nouveau. Il produit des objets qui, arrachés à leur milieu *peint* se trouvent isolés dans l'espace et de ce fait deviennent plus importants. Placés dans un milieu réel, les proportions changent et les objets réagissent d'une manière différente sur ce nouveau milieu.

63. LES GRÂCES NATURELLES. 1967. Bronze, hauteur 105.

64. Etude pour LES GRÂCES NATURELLES.
Stylo à bille, 20,5 x 12,5.

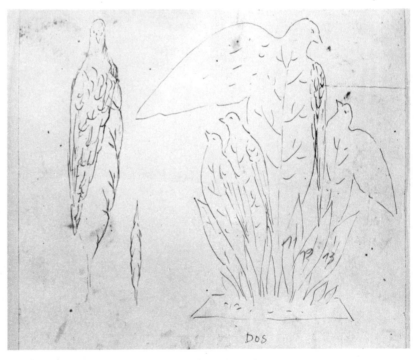

65. Etude pour LES GRÂCES NATURELLES.
Stylo à bille, 21 x 22,5.

55

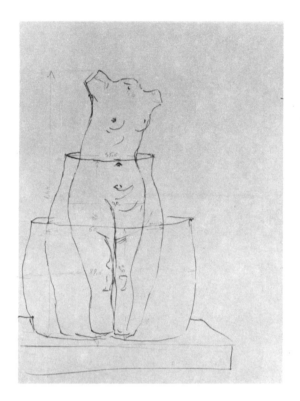

66. Etude pour LA FOLIE DES
GRANDEURS. Stylo à bille, 27,5 x 21.

67. LA FOLIE DES GRANDEURS.
1967. Bronze, hauteur 130.

68. LES TRAVAUX D'ALEXANDRE.
1967. Bronze, hauteur, 60.

LES HUIT PANNEAUX MURAUX
DU CASINO DE KNOKKE

En 1951, Gustave Nellens, alors directeur du Casino Municipal de Knokke-le Zoute en Belgique, commanda à Magritte huit panneaux muraux pour *La salle du lustre* (la salle de jeux). Magritte fit un projet pour ces huit panneaux. Ils furent agrandis et reportés sur les murs du casino en présence de Magritte et sous la direction de Raymond Arti. L'œuvre fut achevée en 1953. Paul Colinet composa quelques vers pour accompagner l'ensemble.

Il est évident que Magritte n'avait pas une conception classique de la décoration architecturale et monumentale. Il transforma la salle de jeux suivant sa conception surréaliste de l'espace. Ces panneaux muraux forment le *Domaine enchanté* et résument les thèmes principaux de l'artiste. Ils montrent le caractère théâtral de l'espace vu par Magritte.

69. Magritte devant LE DOMAINE ENCHANTÉ

70,71. Versions agrandies des toiles du DOMAINE ENCHANTÉ reportées sur les murs du casino.

72. LE DOMAINE ENCHANTÉ. 1951–53.
Longueur totale; 72 m. *Salle du Lustre,
Casino, Knokke.*

73–76. LE
DOMAINE
ENCHANTÉ
I–IV.

77–80. LE
DOMAINE
ENCHANTÉ
V–VIII.

81. René Magritte une bougie à la main devant un portrait de sa femme. 1965.

REPERES BIOGRAPHIQUES

1898   René-François-Ghislain Magritte naît le 21 Novembre à Lessines dans la province du Hainaut (Belgique). Il est le fils d'un marchand. (De ses deux frères cadets, Raymond et Paul, seul Paul se révéla doué pour la poésie et la musique.)

1899   La famille part pour Gilly.

1910   La famille s'installe à Châtelet.

1912   Sa mère se jette dans la Sambre.

1913   Magritte s'installe à Charleroi avec son père et ses deux frères. Il rencontre Georgette Berger qui deviendra plus tard sa femme. Il fréquente le lycée Athénée pendant trois ans, puis prend des leçons de dessin et de peinture.

1916–17   Il s'inscrit à l'Académie des Beaux-Arts de Bruxelles où sa famille s'installe en 1918.

1919   Il fréquent les artistes de l'avant-garde belge: Pierre Bourgeois, poète et fondateur des *sept arts,* Victor Servranckx, peintre abstrait et Pierre Flouquet avec qui il habite quelque temps; il préfère cependant la compagnie de jeunes écrivains attirés par Dada et les débuts du surréalisme à Paris, comme le poète et marchand de tableaux E. L. T. Mesens, connu surtout pour ses collages. C'est lui (et non Marcel Lecomte) qui lui fait connaître l'œuvre de Chirico. Il

rencontre aussi Marcel Lecomte, Camille Goemans, Paul Nougé et plus tard Louis Scutenaire, Marcel Mariën et Achille Chavée. Ce groupe forme la base du surréalisme belge.

1922   Magritte épouse Georgette Berger. Il gagne sa vie en dessinant des papiers peints et des publicités pour les maisons de couture.

1925–26   Il peint une petite toile surréaliste représentant une main et un petit oiseau (1925, collection Nellens, Knokke) inspirée d'une

82. Georgette et René Magritte, assis devant un paravent que plus tard Magritte peindra en noir. Laeken, près de Bruxelles.

toile de Marx Ernst. Elle préfigure *Le Jockey perdu* (1926) qui marque la coupure avec le cubisme et le futurisme.

1927 Son exposition à la galerie Le Centaure de Bruxelles est mal accueillie. Magritte décide de partir pour Paris. Au début de l'été il s'installe avec sa femme au Perreux-sur-Marne.

1927–30 Pendant ce séjour à Paris, l'art de Magritte s'affirme. Il prend une part active au mouvement surréaliste. En 1929, Dali invite Luis Bunuel, Camille Goemans, Paul Eluard, sa femme Gala et leur fille Cécile à passer quelques jours à Cadaquès. Cette rencontre historique fut riche en contacts artistiques et le début d'une longue amitié entre Magritte et Paul Eluard. Breton admet en 1929, René Char, Bunuel, Dali et Ma-

gritte dans les rangs du surréalisme qui se trouve ainsi comme l'a dit André Thirion magnifiquement renforcé.

A Paris, Magritte rencontre fréquemment les familiers de la rue du Chateau: Yves Tanguy, Jacque Prévert, Malkine, Benjamin Péret, André Thirion. On y discute de l'érotisme, de la psychanalyse et du communisme (Hegel, Marx, Freud). Thirion écrit pour le journal belge *Variétés*. Il fréquente Louis Aragon, Man Ray et les surréalistes belges, Goemans et Mesens, Nougé et Scutenaire viennent parfois voir Breton, surtout Nougé que Breton apprécie tout particulièrement. Le cercle de Breton est plus fermé que celui de la Rue du Château. C'est là que Magritte voit les œuvres de Chirico, Picabia, Duchamp et Picasso. Georges Bataille y exerce une grande influence. Les Magritte se rendent aussi souvent au Café Cyrano, place Blanche pour les réunions à l'apéritif. Magritte fréquente tout particulièrement les habitués de la Rue Fontaine, quartier général de Breton et le Café Cyrano.

1930 Les Magritte rentrent à Bruxelles, 135, rue Esseghem, Jette-Bruxelles. Ils mènent une vie paisible.

1934 Breton, Char, Eluard s'inquiètent dans l'*invention surréaliste* (Documents 34) de la montée du fascisme. Mesens, Magritte, Nougé, Scutenaire et Souris expriment leur point de vue dans une sorte de manifeste: *L'action immédiate*.

1937 Magritte passe trois semaines à Londres chez Edward James. Il fait une conférence pour expliquer son procédé de création. En 1936; le marchand de tableaux Julien Lévy expose les œuvres de Magritte pour la pre-

83. Georgette et René Magritte au Jardin des Plantes, Paris, 1928.

84. Paul Nougé, René et Georgette Magritte à bicyclette sur la côte belge. Ostende. 1933–34.

mière fois à New York (Voir Julien Lévy; *Surréalisme,* New York : The black sun press, 1936).

1938   Exposition à la London Gallery (46 toiles). Entre le 1er juin 1938 et juin 1940, Mesens publie 20 numéros du London Bulletin. Herbert Read écrit sur l'importance du «principe poétique» dans l'œuvre de Magritte.

1940   Magritte quitte la Belgique et se réfugie à Carcassonne. Il peint une très beau tableau : *Le Repas de noce* (fig. 30).

1943–46   Il regagne Bruxelles et se met à peindre dans le style de Renoir.

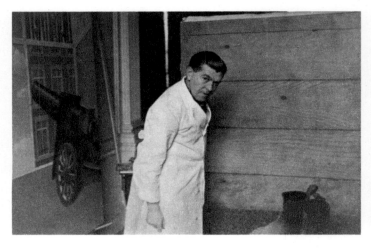

85. Magritte au travail dans la maison d'Edward James à Londres. 1937. A gauche : AU SEUIL DE LA LIBERTÉ. A droite : LE MODÈLE ROUGE.

1945   Après la libération, Magritte se rapproche du Parti communiste mais assez rapidement s'en détache.

1948   Epoque vache comme l'appelle lui-même Magritte. C'est un intermède burlesque qui dura deux-trois mois. Il s'essaie à peindre dans le style fauve français. Les toiles de cette époque, exposées à Paris ont peu de succès. Louis Scutenaire qui les appréciait suggère et présente cette exposition. Cette production exubérante qui ne correspond

86. Devant la version verticale de AU SEUIL DE LA LIBERTÉ.

87. Pendant la guerre. Georgette et René Magritte avec leur chien.

pas du tout à l'image que Magritte voulait donner de lui trouvera plus tard des défenseurs comme Scutenaire et Roberts-Jones.

1953   Il termine une commande de 1951 pour Gustave Nellens, directeur du Casino de Knokke-le-Zoute *(Le domaine enchanté).* Expositions à Rome, Londres, New York et Paris.

1954   Rétrospective au Palais des Beaux-Arts de Bruxelles organisée par Robert Giron. (D'autres expositions suivent en 1959 à Ixelles, en 1960 à Liège et en 1962 à Knokke).

1956   Magritte reçoit le prix Guggenheim pour la Belgique.

1957   Magritte déménage et va habiter, 97, rue des Mimosas, Bruxelles-Schaerbeek. C'est là qu'il mourra. Le Palais des Beaux-Arts passe commande d'un panneau mural, *La fée ignorante.*

1960–67   Son talent est finalement reconnu dans le monde entier. Le Musée d'art contemporain de Dallas (Texas) organise en 1960 la première exposition rétrospective aux Etats-Unis : 82 toiles qui seront ensuite exposées à Houston.

On lui commande en 1961 un panneau mural, *Les Barricades mystérieuses,* pour le Palais des Congrès de Bruxelles.

Le Walker Art Center de Minneapolis présente en 1962, 92 toiles de Magritte. Cette exposition est organisée par le Ministère Belge de l'Education Nationale et de la Culture et par la Fondation d'Art belge aux Etats-Unis.

En 1964, l'Université Saint-Thomas de Houston expose 100 toiles.

En 1965, le Musée d'Art Moderne de New York organise une exposition (82 toiles), à laquelle Magritte assiste en compagnie de sa femme, de Louise de Vilmorin et de Margarethe Krebs. Son ami, le collectionneur Harry Torczyner lui fait visiter la maison d'Edgar Allan Poe. Il se rend aussi à Houston (Texas) pour voir de Menil fervent collectionneur de ses œuvres.

En 1967, le Musée Boymans-Van-Beuningen de Rotterdam organise une exposition rétrospective de 105 de ses œuvres. Magritte meurt subitement à Bruxelles le 15 Août 1967.

1969–71   Après la mort de Magritte, on assiste à quatre expositions importantes : A la Tate Gallery de Londres, à la Kestner Gesellschaft de Hanovre, au Kunsthaus de Zurich (toutes en 1969) et au Japon (Tokyo et Kyoto) en 1971.

1972   L'auteur dramatique anglais, Tom Stoppard *(Rosencrantz* et *Guildenstern sont morts)* écrit une comédie en un acte intitulée: *Après Magritte,* présentée au Theater Four de New York en Avril 1972.

88. Magritte derrière
LE BLANC-SEING. 1965.

89. Magritte (à droite), Paul
Delvaux et E. L. T. Mesens
(debout) après un vernissage
à l'Hotel de la Réserve.
Knokke-le Zoute.

90. Magritte et LA LUNETTE D'APPROCHE dans sa chambre,
97 rue des Mimosas, Bruxelles, 1963.

PLANCHES

LE JOCKEY PERDU

1926, collage et gouache sur papier, 39,5 × 60

Collection Harry Torczyner, New York.

Les titres ont changé, le décor aussi, mais pendant près de 40 ans, Magritte a repris le thème du jockey. Il apparaît durant les années de recherche, quand Magritte abandonne les formes futuristes, cubistes et abstraites pour une manière de peindre personnelle.

Magritte s'était fixé pour but de redonner vie aux choses ordinaires de notre existence, rendues inexpressives par la manière dont nous les regardons. Au lieu de les accepter telles qu'elles se présentaient à lui, Magritte se mit à jouer avec elles pour faire apparaître leur côté étrange. Pour cela il transforme le rôle et l'ordre des choses (note 30). C'est ainsi que des pieds de table deviennent des «pions» dans un taillis. Plus tard on appelle cette transformation *le bilboquet*. Ce terme évoque pour moi quelque chose qui tombe puis se redresse (au sens figuré bien sûr). Il rappelle aussi ce jouet formé d'une boule percée d'un trou et reliée par une cordelette à un petit bâton pointu et, au sens figuré, une chose qui retombe toujours sur ses pieds (Voir Littré, Dictionnaire de la langue française).

Toujours sensible au langage, Magritte marque les mots de son empreinte personnelle. Il se fabrique son propre alphabet et son propre système grammatical.

En 1972, l'un des premiers *Jockey perdu* peint par Magritte (collection Robert Michel) fut présenté à l'exposition «Les peintres de l'imaginaire». Il représente un jockey très gauche entouré de bilboquets qui poussent à des branches. La toile est en très mauvais état. C'est un essai maladroit qui précède le splendide collage que nous reproduisons ici.

Cette version introduit l'élément théâtral, les rideaux et le jardin d'hiver fait de bilboquets découpés dans du papier à musique portant des phrases telles que «Sprechen Sie Deutsch, mein Herr?». La partie centrale est très claire et tourne au bleu vert vers le haut.

Les notes de musique donnent au tableau une transparence cadencée dans laquelle le jockey se perd comme dans un domaine enchanté.

LA NAISSANCE DE L'IDOLE

1926, Peinture à l'huile, 120 × 80

Collection privée, Bruxelles.

Magritte a peint à plusieurs reprises *Le Jockey* et le *Bilboquet* (voir Planche 2). Il y ajoute souvent la forme d'un mannequin comme dans *La Naissance de l'Idole* que de Chirico avait déjà utlisé dans ses toiles.

C'est un exemple frappant de l'influence qu'exerçaient encore sur les peintres les innovations de De Chirico plus de 10 ans après qu'il les eut introduites dans son œuvre.

La tempête sur la mer déchainée reproduite sur cette toile a un pouvoir expressif que l'on retrouve rarement dans d'autres toiles. Le faux escalier, les portes, éléments qui seront repris souvent par Magritte apparaissent déjà dans cette toile. L'idole se détache sur ce fond opprimant comme un bilboquet-mannequin peu attrayant.

Le Jockey perdu et *La Naissance de l'Idole* montrent combien l'imagination de Magritte était fertile en inventions. Sujet au changement d'humeur et aux troubles émotifs, Magritte faisait en plus l'expérience de l'agitation nerveuse et de l'excitation propre aux jeunes talents enthousiastes.

On ressent cet état de l'artiste à travers les deux œuvres de 1926. Ce sentiment d'agitation disparaît après 1929.

PANORAMA POPULAIRE

1926, peinture à l'huile, 120 × 80.

Collection Mme Jean Krebs, Bruxelles.

L'année 1926 est une année importante pour l'œuvre de Magritte. Comme nous l'avons déjà dit à propos de *La Naissance de l'Idole*. Il faut y ajouter l'importance du paysage comme il le représente ici dans *Panorama Populaire*. Cette toile a appartenu à E. L. T. Mesens et à Paul Gustaaf Van Heck, premier marchand de tableaux de Magritte et animateur de la Galerie Le Centaure avec André de Ridder.

Par sa conception de l'espace, cette toile ne se rattache ni au cubisme ni au futurisme. Bien que le premier à rompre avec les règles de l'espace établit par la Renaissance ait été le cubisme, le tableau présente trois couches. Elles forment un tout se différenciant pourtant par rapport à la perspective. Les deux surfaces qui se découpent en courbes représentent à la fois une plage, une région boisée et aussi un matériau, par exemple du bois (une sorte de boite magique renfermant trois aspects d'un paysage.

En superposant trois éléments (ville, bois et mer) Magritte introduit la simultanéité qu'il exploitera à fond en 1928–30. La couleur dominante passée finement est un gris vert triste qui donne une atmosphère oppressante et sinistre. Les arbres qui fascinèrent Magritte toute sa vie sont présents dans cette toile. Il s'intéresse plus particulièrement aux troncs trapus, déformés et puissants qui jaillissent du sol sans racines. Par la suite, Magritte peindra des arbres d'aspect plus tranquille mais toujours sans racines. Comparé au tableau *Paysage* (1926; fig. 4) qu'il est impossible de décrire, *Panorama Populaire* représente une scène plus concrète, dérivée de la réalité. Néanmoins, il est tout autant significatif du pouvoir d'imagination de l'artiste grâce à la conception de l'espace en couches.

SANS TITRE

1926, collage et gouache, 77 × 60

Collection Mme J. Vanparus-Maryssael, Bruxelles.

L'usage du collage fut introduit par les cubistes. Picasso et Braque, Jean Arp et Kurt Schwitters découvrirent de nouvelles possibilités d'utilisation. Entre 1925 et 1930, Magritte s'en servit peu. Il découpait parfois des partitions pour introduire un peu d'étrangeté dans son œuvre. Par leur forme, ces collages rappellent des instruments de musique (le manche d'un violon ou d'un violoncelle) et des figures comiques comme des marionnettes (les personnages d'une fable moderne : bilboquets et mannequins).

La volute du violon ou du violoncelle apparut dès 1916 dans des toiles de De Chirico (L'*Ange juif,* collection Penrose, Londres, fig. 11). Comme Magritte De Chirico se servait des notes de musique pour composer ses tableaux. Ces évocations musicales rendaient toute chose plus légère.

Dans les gouaches de cette période, Magritte transforme les choses jusqu'au méconnaissable. Magritte est à la découverte d'un monde artificiel dans lequel les objets ont une existence abstraite. Mais en même temps il cherche à garder un lien avec la réalité. Pour cette raison, son œuvre n'est pas aussi hermétique que celle de Yves Tanguy. Magritte évolue entre la réalité reconnaissable et un monde inventé par l'être intérieur.

LE SANG DU MONDE

1926, Peinture à l'huile, 73 × 100

Collection privée, Bruxelles.

A partir de 1925, Magritte suivit deux directions; vers 1930 il en choisit une, celle qui consistait à partir de formes reconnaissables et à les placer dans des situations étranges. *Le jockey perdu* appartient à ce groupe.

Le Sang du monde et *Paysage* appartiennent au groupe qu'il abandonna après 1930 et qui représente en général des formes imaginaires, des excroissances, et des structures se rapportant vaguement à la réalité et difficiles à définir. Ce n'est que par associations que l'on peut comprendre ces paysages déprimants peuplés de formes entremêlées dans un style baroque.

Le goût de l'invisible (1928; fig. 38) est le chef-d'œuvre de ce genre. Le titre lui-même montre que Magritte ne s'appuie pas sur «le visible» comme il le fera un peu plus tard. *Le sang du monde* représente des formes qui ressemblent à des jambes et à des bras amputés de leurs extrémités et dépouillés de leur peau comme des écorchés.

Ces bras et ces jambes cachent des formes encore plus difficiles à saisir. On peut penser à celles que peignait Arp dans sa période Dada ou à Tanguy. Magritte qui fit ces toiles peu avant ou pendant son séjour à Paris (1927–1930) était en contact avec de nombreux artistes du cercle de Breton.

Mais je ne pense pas que ce soit là que Magritte puisa son inspiration. Les formes cachées derrière les jambes par exemple, ressemblent à certaines formations rocheuses portant des signes d'érosion. Antoni Gaudi, architecte espagnol de l'Art Nouveau, modela de semblables «excroissances». Elles fascinèrent Dali le long des côtes de Cadaquès. Magritte leur donne une couleur artificielle rouge sang et blanchâtre.

Je voudrais aussi parler ici des petits morceaux de prose écrits par Magritte à cette époque, dans lesquels il décrit des paysages peuplés de personnages moitié réels, moitié imaginaires. Ces écrits d'une qualité littéraire certaine expriment la liberté surréaliste et auraient pu faire de Magritte un écrivain. Mais parmi les surréalistes, seul Dali en prit le chemin.

Le sang du monde nous révèle le démon caché dans l'imagination de Magritte, une obsession sinistre et perverse par certains côtés, les restes d'un expressionnisme dont il se libèrera vers 1930. Puis vient la clarification, la mystérieuse clarté qui le caractérise dès 1926. Bien que les tons noirs et sinistres dominent les œuvres d'avant 1930, on rencontre parfois ses toiles claires comme par exemple *Le joueur secret*.

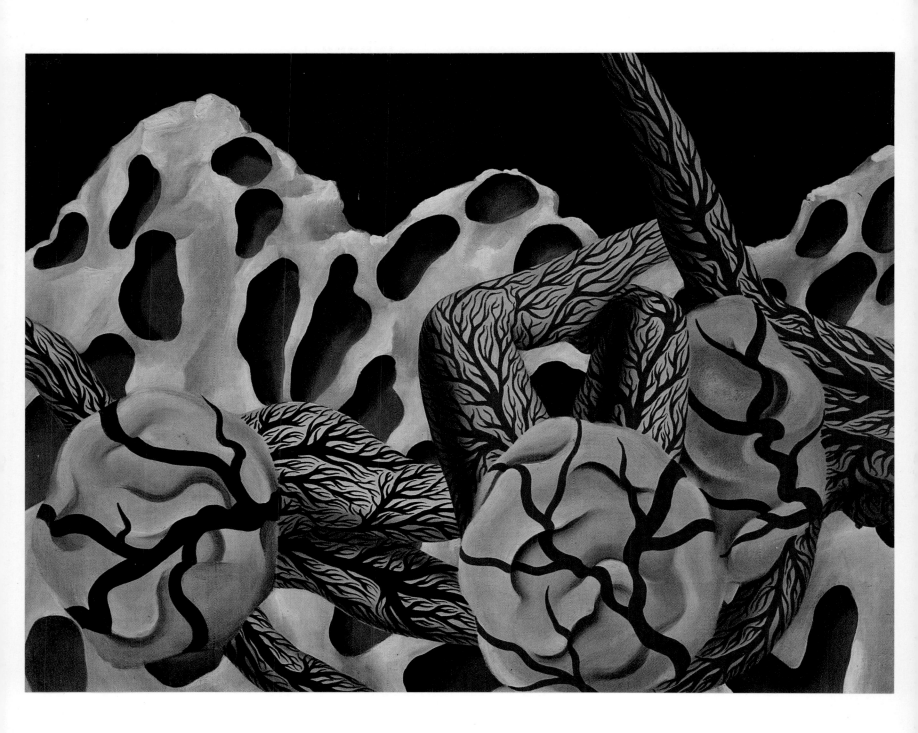

L'OASIS

1925–27, peinture à l'huile, 75 × 65

Collection Mme J. Vanparys-Maryssael, Bruxelles.

Environ un an avant *La culture des idées* (1928) qui représente des arbres sans racines sur d'étranges plaines boisées, Magritte peignit *L'Oasis,* œuvre plus simple, sans problème de titre. Scutenaire pense qu'elle fut exécutée en 1925.

Le spectateur découvre deux choses dans l'apparente simplicité. La petite table d'où émergent des troncs d'arbres est peinte en perspective chinoise. Les nuages chevauchent la cime des arbres et la distance entre ces nuages et le sol est trop petite pour être réelle.

Magritte essaie de libérer le monde extérieur des règles que nous avons inventées. Notre compréhension est accrue et notre expérience de l'espace plus intensément vécue. Il se dégage de cette toile un silence infini. Un rayonnement s'échappe des nuages et le ciel à l'horizon devient d'un bleu nuit profond. Je me souviens d'avoir vu une couleur semblable dans des toiles du 14ème et du 15ème siècles italien. Mantegna dans son *Saint Sébastien* peint des nuages avec la même froideur intense sur un fond bleu puissant et pénétrant. La conception de l'espace rappelle aussi Piero della Francesca et Ucello. Le trait particulier de l'*Oasis* est l'absence de clichés et de fioritures. Le style est simple, austère, direct.

L'ESPRIT COMIQUE

1927, peinture à l'huile, 75 x 60

Collection Mme L. Berger, Bruxelles.

Pour compléter ses collages exposés en 1920 à Paris, Max Ernst se mit à faire du *découpage*. Les collages de Ernst ne sont pas seulement techniques comme ceux de Braque ou de Picasso. Ces deux artistes s'intéressent surtout à la technique du *papier collé* tandis que Ernst invente le *collage photographique, le collage d'illustration* et le *frottage*. Il va encore plus loin en donnant une interprétation purement intellectuelle du concept du collage, référence à la rencontre du parapluie et de la machine à écrire sur la table d'opération imaginée par Maldoror.

Magritte se sert du collage comme d'une idée et non comme d'une technique ce qui explique ses inventions. Dans le cas de Ernst et de Magritte, le collage et le découpage n'ont rien à voir avec le pot de colle. Magritte fit des collages découpés et collés aussi bien qu'entièrement peints, la partie «découpée» étant elle aussi peinte.

Dans *l'Esprit comique* la partie découpée et peinte, en forme d'être humain, est le produit d'une imagination qui touche à l'hallucination. Ces formes ressemblent à des astronautes en combinaison spatiale sur la lune. Il y a opposition entre le découpage plat et fragile et l'image d'un homme primitif qu'il nous révèle.

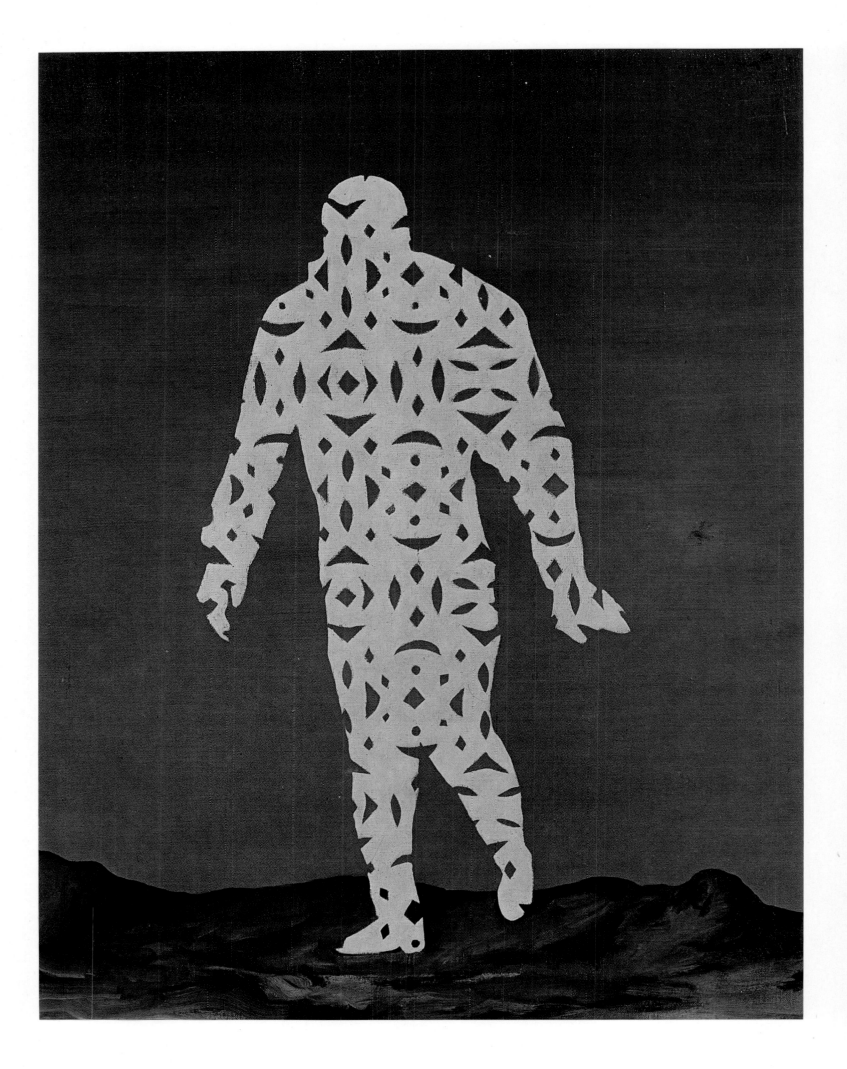

L'HOMME AU JOURNAL

1927, peinture à l'huile, 116 × 81

Tate Gallery, Londres.

En 1936, Paul Nougé publia un ouvrage sur un certain nombre de toiles de Magritte intitulé «René Magritte ou la révélation objective». Pour Irène Hamoir, l'œuvre de Magritte possède aussi ce pouvoir révélateur: «Ses phrases sont lisibles, claires et brèves».

L'*homme au journal* appartient avec *Le Somnambule* (1927) et *La voix du silence* (1928) à un petit groupe de toiles qui représentent des objets que l'on peut trouver dans un intérieur petit bourgeois.

Dans *Le Somnambule* Magritte commence à jouer de l'opposition entre intérieur et extérieur en plaçant un réverbère allumé dans la petite chambre. Ce réverbère transforme totalement notre vision du monde. Il nous apparaît effrayant et étrange.

Il n'y a rien d'anormal dans la pièce où l'homme lit son journal. Le poêle (voir le canon dans *Au seuil de la liberté*) est d'un modèle courant en usage autrefois. Le décoration des murs est des plus banales. La fenêtre, les rideaux et le petit bouquet de fleurs sur le rebord de la fenêtre sortent tout droit d'un intérieur petit bourgeois. L'homme lui-même ressemble aux hommes que l'on voit sur les affiches et sur les cartes postales.

Mais que fait Magritte de tous ces éléments? Il divise sa toile en quatre rectangles et reproduit cette petite chambre quatre fois. L'homme au journal n'apparaît que dans un seul rectangle. Dans les autres, Magritte l'efface; il devient invisible. C'est l'élément troublant. Malgré la disparition de l'homme rien d'important n'a changé. Sa présence n'a aucun sens; son existence était un vide.

Néanmoins, la disparition de l'homme produit un choc. Pourquoi? En tant qu'objet, l'homme au journal représente visiblement un être humain. La non-existence de l'homme existant nous rappelle la vie routinière. Magritte donne une forme visible au banal et au vide.

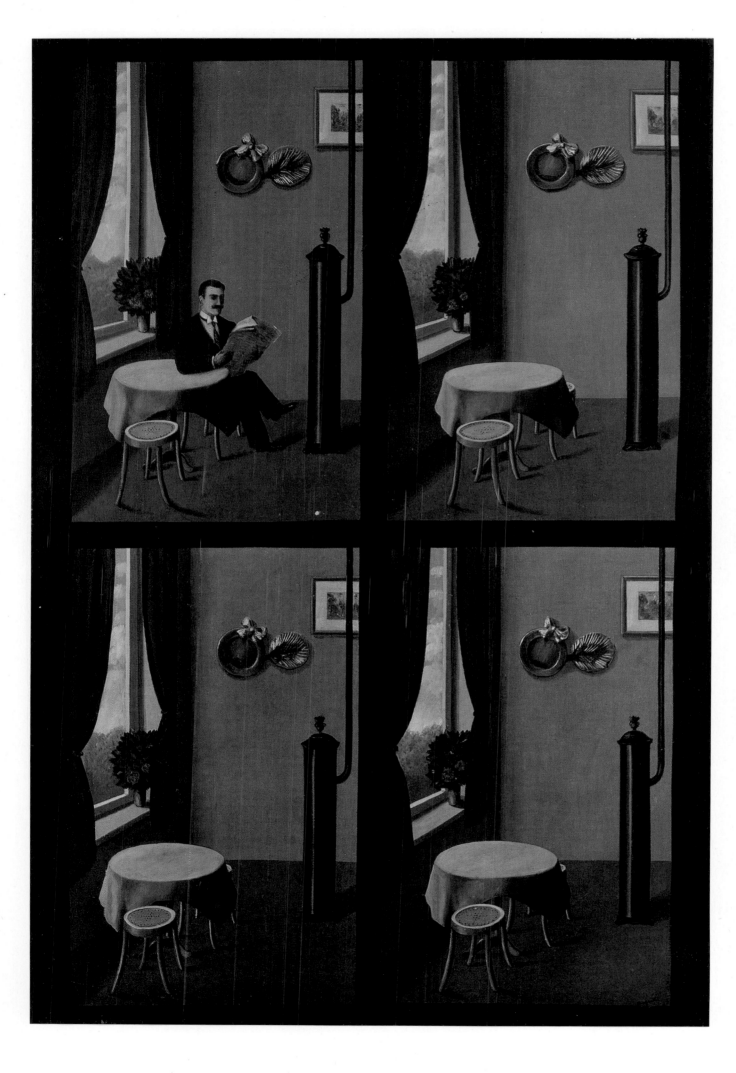

LES SIX ELEMENTS

1928 environ, peinture à l'huile, 72 × 100.

Musée d'Art de Philadelphie. Collection Louise et Walter Arensberg.

Entre 1928 et 1930, Magritte peignit des cadres déformés. Parfois, ils ne représentent rien du tout, parfois ce sont des mots, une planche, une série d'objets disparates. *Au seuil de la liberté* (1929) est sûrement la toile qui renferme le plus d'objets. Elle se compose de huit morceaux qui entourent un canon. *Les six éléments* ne représente qu'un feu, des nuages, un bois, une maison, les cloches d'un harnais et un buste de femme. Il se dégage de cette toile un érotisme poétique.

Le cadre a une irrégularité toute baroque, ce qui donne une grande tension aux six fragments. Les seins, le bois luxuriant, le feu infernal et les nuages dans le ciel bleu, tout appartient au monde de la nature. Du point de vue purement plastique, la composition est magistrale.

Une maison signifie toujours beaucoup de choses pour Magritte; un abri, un cadre et aussi le centre d'où il fait l'expérience du dialogue entre «l'intérieur» et «l'extérieur», entre le défini et l'indéfini.

Il existe une autre version des «six éléments» (1929) qui s'appelle *Le masque vide* (collection Braun, New York). La disposition des objets est différente et le buste de la femme est remplacé par un découpage, peint comme dans *L'esprit comique*.

LE FAUX MIROIR

1928, peinture à l'huile, 54×81

Musée d'Art moderne, New York.

Man Ray m'a appris qu'il avait rencontré de temps en temps Magritte pendant le séjour de celui-ci à Paris. Par la suite ils restèrent en contact. Quand Magritte passait à Paris, il allait voir Man Ray et Ray passait chez Magritte quand il se trouvait à Bruxelles. A Paris, Magritte vit dans le studio de Man Ray la photographie d'un œil. Cet œil le captiva et il l'échangea par la suite contre une toile qui représentait elle aussi un œil. Cette toile fut rachetée par Mr. Alfred H. Barr, Jr. pour le Musée d'Art moderne de New York.

Le faux miroir réduit volontairement le rôle de l'œil. Comme l'œil byzantin, l'œil de Magritte ne nous regarde pas. C'est un miroir qui reflète le ciel et les nuages. La réflexion dans un miroir est passive, morte, la réflexion dans l'œil pénètre à l'intérieur et c'est là que nait l'image. Magritte aimait beaucoup ce vers de Paul Eluard: «Dans les yeux les plus sombres s'enferment les plus claires» (note 31).

En 1932, Magritte peignit sur bois pour sa femme Georgette un œil, un sourcil et une natte (fig. 45). Cette œuvre est d'une conception tout à fait différente de l'œil de 1928. L'œil regarde, il est humain, il ne possède plus la dialectique de la réflexion.

DECOUVERTE

1928, peinture à l'huile, 65 x 50

Collection Louis Scutenaire, Bruxelles.

Selon Louis Scutenaire, cette toile fut exécutée à Paris quand Magritte fréquentait les surréalistes, Breton, Aragon, Tanguy, Dali et Goemans.

Le titre ne pose aucun problème : ce qui existe et qui était caché et inconnu nous apparaît.

L'apparente simplicité de nombreuses toiles de cette époque est soudain troublée par un tatouage sur la peau d'une femme nue. Ce tatouage représente les veines du bois (une des obsessions de Magritte). Il rend l'atmosphère de la toile sombre et voluptueuse. Malgré l'horreur de Magritte pour les interprétations psychanalytiques, il faut signaler que Freud lie l'idée du bois à l'idée de femme et de mère. Il a trouvé ce rapport dans le nom «Madeira», l'île boisée, nom qui signifie «bois» et qui vient de *mater* (mère) et *materia* (matériau).

Magritte retrouve des souvenirs de bois en flammes et de femme nue qui en se mêlant enrichissent ses pouvoirs conceptuels.

LES CHASSEURS AU BORD DE LA NUIT

1928, peinture à l'huile, 80 × 116

Collection privée, New York.

Dans les toiles de cette période, les couleurs sombres, bronze, vert olive, ocre, bleu foncé et marron prédominent. Le dessin de la toile que nous reproduisons ici est clair et simple. Les mains des chasseurs, rudes et fortes, presque animales, sont semblables à celles des personnages des *Jours gigantesques*.

En 1928, Camille Goemans publia dans *Distances* une nouvelle «Les débuts d'un voyage». Il y racontait l'histoire de chasseurs qui parcouraient la nuit un domaine boisé. L'atmosphère en était oppressante, le danger planait alentour et les chasseurs s'épuisaient.

Il se dégage de cette nouvelle et de la toile une même atmosphère. Magritte peint des chasseurs dans des attitudes de désespoir, cherchant à tâtons leur chemin. C'est un exemple de claustrophobie qui n'apparaît que très rarement dans l'œuvre de Magritte.

Comme *Les jours gigantesques,* cette toile exprime le drame par des gestes expressifs. Cet élément disparaît définitivement de l'œuvre de Magritte vers 1930.

LA PARURE DE L'ORAGE

1928, peinture à l'huile, 80 × 117

Collection Baron J. B. Urvater, Paris.

Il est à remarquer qu'en 1928, les thèmes et les titres de l'œuvre de Magritte révèlent une émotion dynamique, violente et sombre: *Les Jours gigantesques, Les chasseurs au bord de la nuit, Le genre nocturne* (fig. 6).

La parure de l'orage (titre anglais, The regalia of the storm de David Sylvester) représente une mer bouillonnante comme *La traversée difficile* et *La naissance de l'idole* (planche 3), vue d'un édifice en ruines qui ressemble à un décor de théâtre. C'est dans le même style que les découpages *peints* dont j'ai parlé à propos de *l'esprit comique*. Les morceaux d'arbres et de feuilles découpés sont plats, fantomatiques et pourtant ils occupent l'espace. La toile est faite dans l'esprit du collage-découpage, suivant les idées de Max Ernst. Les six personnages bien que minces et transparents ont une ombre et leur découpe spectrale et caricaturale ressemble à l'écume des vagues inscrivant des formes étranges le long d'une plage. *La parure de l'orage* marque l'apogée des paysages troublants de cette époque. Le choc qui se produit entre les divers éléments est couvert par les tons sombres d'une mélodie solennelle chantée par des voix de basse profonde.

LA CULTURE DES IDEES

1928, peinture à l'huile, 50×65

Collection privée, Bruxelles.

Cette toile poétique **représente** un paysage imaginaire : deux troncs d'arbre pour un seul feuillage. Les deux troncs qui projettent leur petite ombre devant eux ressemblent aux jambes d'un homme en marche. Le décor bouge aussi. Il semble sortir d'une sorte de nuage aux contours biens dessinés, changeant de couleur vers le haut et se transformant en bois dont on voit les veines.

Il se dégage de cette toile le même enchantement poétique que celui que ressent le dormeur dans la demi-inconscience du réveil. Après 1930, on ne rencontre plus dans les toiles de Magritte cette forme imaginative, lyrique et poétique, ces formes et ces couleurs difficiles à décrire. Il change de style parce que sa vision poétique change et qu'il découvre la technique des ressemblances. Il reprend ses thème d'une manière plus soignée, plus calme et plus détendue en ajoutant des détails qui transforment légèrement l'atmosphère.

LES JOURS GIGANTESQUES

1928, peinture à l'huile, 116 × 81

Collection privée, Bruxelles.

Ici sur un fond de toile bleu, bleu-vert, terre de Sienne, couleurs favorites de Magritte en 1928 (voir *La découverte, Les chasseurs au bord de la nuit*) se détache, dans une lumière dure à la Caravage, la silhouette spectrale d'un étrange viol.

La partie inférieure du corps de la femme est déformée si bien qu'elle semble atteinte d'éléphantiasis. Ses gestes sont tendus, anxieux. La trouvaille de Magritte réside dans la silhouette de l'homme noir, ombre de la femme et partie d'elle-même. Par rapport à son corps, les mains de l'homme sont énormes.

Les deux corps intimement mêlés, l'amalgame des quatre mains, l'effet violent produit par l'ombre (qui est aussi volume absorbé par les formes lourdes du nu) tous ces éléments confèrent à la toile une froide sensualité jamais égalée depuis Magritte.

Après cette toile, les nus féminins sont sublimés ou bien leurs organes sexuels sont mutilés (Voir par exemple *Le viol*, fig. 46). Il est intéressant de lire les écrits des auteurs surréalistes belges *(La chambre au miroir* ou *Ebauche du corps humain.* Note 32), pour se rendre compte de l'imagination érotique de l'époque (1926–30).

AU SEUIL DE LA LIBERTE

1929, peinture à l'huile, 114,5 × 146,5.

Musée Boymans-van-Beuningen, Rotterdam.

Les six éléments et *Le masque vide* (1928) sont des compositions plates et frontales divisées en plusieurs parties, alors que *Au seuil de la Liberté* est une étude du même thème utilisant l'espace tridimensionnel. Magritte reprit ce motif dans une composition verticale à la demande d'Edward James (fig. 86).

En plus de la conception théâtrale de l'espace, Magritte ajoute par rapport aux toiles de 1928, un canon pointé sur le buste de la femme. Comparé au canon de *La conquête du philosophe* (1914) de De Chirico, qui n'est qu'un élément parmi d'autres, le canon de Magritte est un élément de première importance dans la composition.

Ce n'est pas un canon d'opérette. Un expert militaire a découvert qu'il s'agissait d'un canon de 15 centimètres Howitzer de la guerre de 1914–1918 fabriqué par Schneider-Canet et muni d'un système De Bauge! Si c'est vrai, cela prouve que Magritte n'avait pas besoin d'inventer pour peindre, la réalité suffisait à son imagination.

Pour le reste, l'intérêt de cette toile réside dans la structure de l'espace et dans le décor composé d'objets divers pris dans la nature et dans la vie quotidienne.

L'élément érotique du bois et du nu est évident. La maison fermée côtoie le monde extérieur ouvert, sans barrières, peuplés de splendides nuages blancs qui flottent dans le bleu. Les cloches évoquent le bruit d'un cheval au trot. Le feu et le morceau de papier découpé représentent la partie la plus pauvre du tableau.

Magritte fit un schéma du *Seuil de la liberté* dans une lettre à Paul Nougé (note 33) avec des explications sur le choix des éléments. Magritte veut réorganiser les éléments de notre monde qui déplait aux surréalistes. «Ce monde en désordre et plein de contradictions qui est le nôtre» comme il aimait à le dire offre encore des possibilités qui n'ont pas été exploitées.

En vrai poète de la peinture, Magritte décompose l'image du monde ordinaire en un certain nombre de facteurs vitaux et les rassemblent dans un cadre de son choix.

Renilde Hammacher-van den Brande note à propos du titre: «Nous abandonnons l'ordre établi pour entrer, avec le peintre, dans le domaine de l'imagination. Et l'imagination signifie liberté» (note 34).

HOMMAGE A MACK SENNETT

1934, peinture à l'huile, 73 × 55

Musée communal de La Louvière, Belgique.

On sait les sensations que peut faire naître la vue des vêtements d'une personne que l'on aime. Si cette personne est morte, les habits qu'elle a portés ont souvent le pouvoir terrible de nous faire sentir sa présence. Personne ne peut dire si ce sont les souvenirs qui recréent «l'image» de l'être aimé ou si les vêtements suffisent à évoquer le contact avec un autre corps. L'habit ne sert plus à cacher, à voiler, mais à révéler.

Magritte a fait une toile sobre sur ce sujet. Elle représente une armoire ouverte tout à fait ordinaire, telle qu'on peut encore en trouver dans un petit hôtel de province. Une vie pleine de promesse s'échappe de la longue robe de femme qui cache et révèle tout. Une atmosphère de boudoir, toute en demi-teinte plane sur ce tableau.

Magritte reprit ce thème plus tard *(La philosophie dans le boudoir,* 1947–48) dans un style moins familier, avec un élément érotique plus marqué.

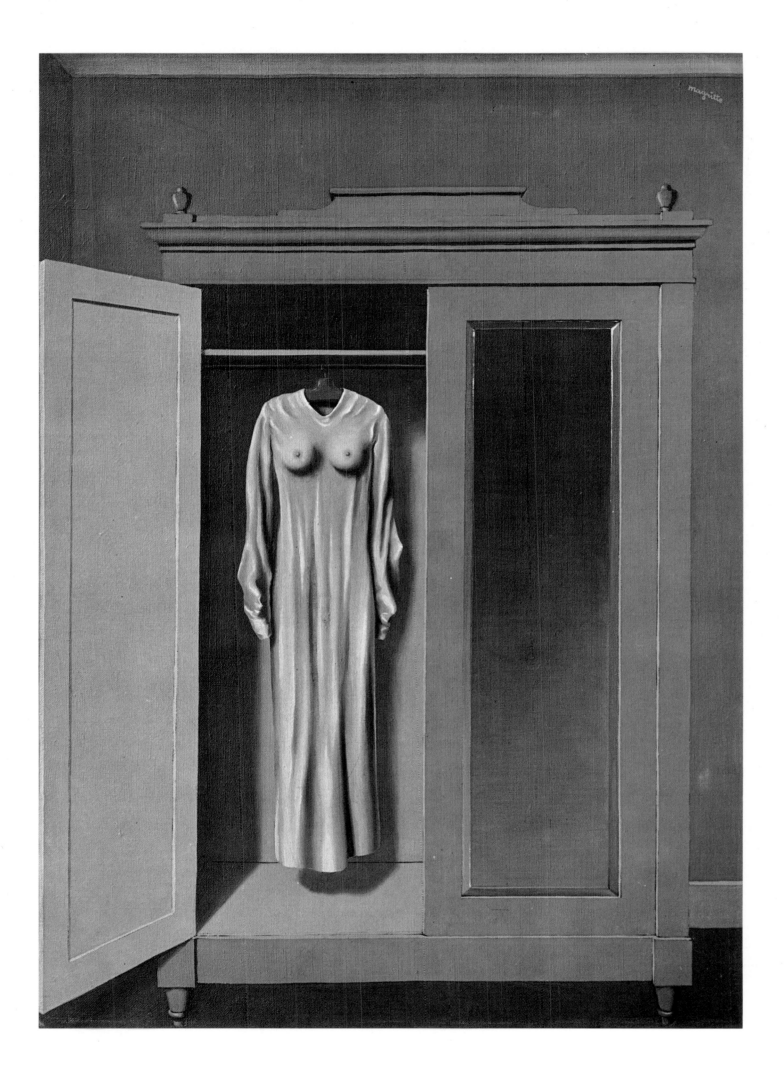

MASQUE DE PLATRE PEINT.

1935 environ, hauteur 32 cm.

Fondation Edward James, Chichester, Sussex.

Une des caractéristiques principales de l'imagination de Magritte réside dans son pouvoir de représenter deux ou plusieurs manifestations de la réalité dans une seule «image». Il les superpose, les enferme dans les mêmes limites faisant, par exemple, coïncider le jour et la nuit, l'intérieur et l'extérieur... etc.

Magritte a peint sur un masque en plâtre de Napoléon un ciel bleu nuageux. Le masque devient ainsi vivant, plus étrange que lorsqu'il était un simple plâtre. Magritte lui ajoute l'espace qui donne une impression d'immensité diminuant la tangibilité de la sculpture et augmentant la dimension poétique. Cette transformation provient de la juxtaposition d'un masque de mort réel et d'un souvenir de ciel nuageux qui n'est plus un souvenir, puisqu'il forme avec le masque une nouvelle réalité poétique et spatiale.

L'ETERNITE

1935, peinture à l'huile, 65 × 85

Collection Harry Torczyner, New York.

Magritte a résumé l'aspect et l'atmosphère d'un musée en trois piedestaux et un cordon rouge sur une rampe de cuivre.

Dans cette toile il n'intervient pas pour troubler l'ordre de l'espace. Il s'en tient étroitement à la réalité perçue par les sens. Il nous présente sur le piedestal central, un bloc de beurre cylindrique avec un numéro. Ce morceau de beurre est accompagné d'une tête en bronze du Christ et d'une tête de Dante.

On pense immédiatement aux vespasiennes de Marcel Duchamp et aux objets de toilette de Man Ray. Comme eux Magritte veut détruire le caractère sacro-saint que nous attribuons aux œuvres d'art exposées dans les musées en nous montrant un énorme morceau de beurre élevé au rang d'œuvre d'art par sa simple incorporation à une toile.

Joseph Beuys se servait principalement du beurre pour s'exprimer artistiquement. Mais Magritte, lui, s'en sert pour démontrer une certaine façon de penser, pour attaquer une forme de culture, pour provoquer.

C'est avec le plus grand soin que Magritte peint l'ensemble formé par les deux têtes et le beurre, donnant ainsi à la toile tout son cachet. Certains ont du mal à accepter ce rapprochement. Ainsi, Michel Foucault écrit: «La diablerie, je ne peux m'empêcher de penser qu'elle se trouve dans un procédé invisible dans le résultat, mais qui peut seul expliquer le vague malaise que nous ressentons» (note 35).

LA MAGIE NOIRE

1935, peinture à l'huile, 80 × 60

Collection Mme Georgette Magritte, Bruxelles

Magritte a peint de nombreux nus féminins en prenant sa femme pour modèle. Avant la période surréaliste (1920–1925), il fait sur ce thème des essais mi-cubistes, mi-futuristes ou réalistes. Le premier nu idéalisé dans des tons sombres sur fond découpé et incorporant un canon remonte à 1930; c'est une très belle œuvre transitoire (fig. 26). En 1932, on trouve une toile surréaliste, un nu simultanément de face et de profil à côté d'une bougie; cette même année il exécute aussi une gouache.

Les titres de ces nus varient: *Magie noire* (I et II), *Les affinités électives, Le miroir universel, La ligne de vie, La liberté de l'esprit, Les fleurs du mal.* Par ces titres, Magritte veut peut-être nous faire croire qu'il cherche la beauté pure. Je rappellerai une conférence faite par Magritte en 1939 et rapportée par Louis Scutenaire (note 36), dans laquelle il approuve la théorie de Nietzsche selon laquelle Raphaël devait être obsédé par le sexe pour avoir peint tant de madones.

Parlant de *La magie noire,* Scutenaire cite les commentaires des amis de Magritte dans le journal *Les Beaux-arts* du 1er Mai 1936: «La lumière est si pure et si présente que le corps se donne à la couleur du ciel et se dérobe à nos yeux comme dans la nuit la plus sombre. Ce n'est cependant que le transparent sortilège du réel et non pas un miracle». Et sous une autre forme (toujours dans le même journal): «C'est un acte de magie noire de transformer la chair de la femme en ciel» (note 37). Et en effet, la partie inférieure du corps de la femme se confond avec le bleu du ciel. Cela me rappelle les rouges et les bleus des anges de la Madone corruptrice incarnée par Agnès Sorel dans la toile de Jean Fouquet (fin du 15ème siècle, Anvers).

LA CONDITION HUMAINE II

1935, peinture à l'huile, 100×73.

Collection Simon Spierer, Genève.

La tradition du tableau dans le tableau est ancienne. Magritte reprend cette tradition et en un certain sens lui donne toute sa richesse en nous faisant sentir l'opposition intérieur-extérieur. Magritte lui-même dit à ce propos: «C'est ainsi que nous voyons le monde, nous le voyons à l'extérieur de nous-mêmes et cependant nous n'en avons qu'une représentation en nous. Nous situons, de la même manière, parfois dans le passé, une chose qui se passe au présent. Le temps et l'espace perdent alors ce sens grossier dont l'expérience quotidienne tient seule compte» (note 38).

Au thème du tableau dans le tableau, Magritte ajoute celui de la fenêtre la plaçant même au premier plan. La fenêtre qui a joué un grand rôle en peinture depuis les Romantiques Allemands (Caspar David Friedrich) jusqu'à Matisse, devient pour Magritte l'œil de la maison d'où il observe le monde.

Il peint rarement un paysage dans la fenêtre. Il a presque toujours besoin d'une balustrade, d'un morceau de mur pour s'accrocher, pour ne pas perdre l'équilibre. Magritte se trouve toujours à l'intérieur et de ce point d'observation il regarde l'inconnu, l'espace, la vie extérieure.

Il faut noter l'aspect réel de la mer et en même temps sa transparence qui, elle, est tout à fait irréelle.

Du point de vue technique, le trait blanc vertical de la toile s'oppose magistralement aux lignes horizontales de la mer, des vagues et du plancher de la pièce. La sphère noire forme le centre bien qu'elle se trouve en bas à gauche du centre réel. Elle est reliée à l'arc de la porte et à la vis sur le chevalet.

LE DRAPEAU NOIR

1936, peinture à l'huile, 51,5 × 72.

Scottish National Gallery of Modern Art, Edimbourg.

E. L. T. Mesens qui fut très lié à Magritte écrivit en réponse à une question sur le sens de la poésie: «Il est effrayant de penser qu'une image poétique comme celle du *Drapeau noir,* toile datant de 1936, plus «inspirée» que «logique», ait pu prévoir les avions sans pilote. Poésie? Magie occasionnelle? *Une révolte contre l'état de la réalité?* (note 39). (Italiques ajoutées par l'auteur).

Comme Jules Verne, Magritte nous montre des avions robots pilotés par des moyens invisibles. C'est la seule fois qu'il traite ce thème dans son œuvre. Ces avions évoquent une menace; ils sont comme des oiseaux noirs mécaniques, présages des horreurs qu'Hitler et Mussolini allaient déchaîner sur l'Europe.

Mais Magritte ne serait pas Magritte si ces constructions apparemment faites avec beaucoup de sérieux, ne révèlaient pas, quand on les regarde avec un peu d'attention, des objets drôles (on voit même une fenêtre volante). La couleur est sombre, dure et menaçante, le dessin simple et extrêmement précis. C'est l'une des toiles les moins «surréalistes» de l'œuvre de Magritte. Elle demeure une exception, témoin d'une imagination créatrice. Le choix du titre est superbe.

LE MODELE ROUGE II

1937, peinture à l'huile, 183 × 136.

Collection Edward James, Chichester, Sussex.

C'est la seconde version d'une toile portant le même titre exécutée en 1935 (Moderna museet, Stockholm). Emile Langui fait état de sept versions dans le *Marlborough catalogue* (Londres 1973).

Magritte peignit la version de 1937 pour Edward James pendant son séjour à Londres. Pour lui donner un «air» anglais, il ajouta quelques pièces de monnaie anglaise sur le sol (à gauche) et une coupure de journal déchiré (à droite) qui reproduit le motif inversé des *Jours Gigantesques* de 1928. Sur cette coupure de journal on lit ces mots en français: *inutiles, fumées, solitaires, malgré.*

La métamorphose des souliers en pieds nus sur le gravier qui visiblement les blesse, attire notre attention sur leur ambivalence. Ils sont à la fois chaussures et pieds nus.

Paul Nougé voit dans cette toile une vague critique sociale *(Les Beaux-arts,* 1er mai 1936): «*Le modèle rouge* lance un cri d'alarme». Prenant comme point de départ l'influence néfaste des conditions sociales sur les relations humaines, Magritte veut démontrer que la dégradation de ces relations s'applique aussi aux choses de la vie quotidienne que nous croyons à notre service mais qui en fait nous gouvernent (le pouvoir des chaussures sur l'homme). Magritte lui-même a dit que l'union quotidienne d'une chaussure en cuir et d'un pied humain était une habitude barbare et monstrueuse. Le commentaire de Nougé nous rappelle que les surréalistes critiquaient la société dans laquelle ils vivaient. On l'oublie trop souvent et délibérement.

Le gravier et les planches de bois veiné brut créent une atmosphère dure, primitive et rude malgré la finesse de la touche et des couleurs.

LA DURÉE POIGNARDÉE

1938 ou 1939, peinture à l'huile, 140×97,5.

The Art Institute of Chicago.

Magritte représente un exemple classique de ce que Freud appelait le mécanisme du refoulement psychique (idée que Magritte rejetait). Dans *Magritte,* Louis Scutenaire cite ces réflexions de l'artiste : «Cet élément à découvrir, cette chose entre toutes attachée obscurément à chaque objet, j'acquis au cours de mes recherches la certitude que je la connaissais toujours d'avance, mais que cette connaissance était comme perdue au fond de ma pensée» (note 40).

Ainsi il attend de certains objets une intuition, une illumination particulière qui les fasse jaillir du fond de son subconscient et lui permette de les peindre. C'est pourquoi ses souvenirs personnels ne l'intéressent pas. Le pouvoir de la mémoire de situer les objets et les évènements dans un paradis mystique, voilà ce qui l'intéresse.

A propos de la locomotive, Magritte a dit : «Pour la locomotive, je la fis surgir du foyer d'une cheminée de salle à manger au lieu de l'habituel tuyau de poële. Cette métamorphose s'appelle «la durée poignardée» (note 41).

La composition de la toile est forte, simple et convaincante. Le miroir, les deux chandeliers de cuivre, l'horloge de marbre noir, l'angle de vision oblique donnent de la puissance à la toile. La comparaison entre la cheminée et la locomotive nous fait passer du monde extérieur au monde intérieur. C'est le reflet de ces deux réalités qui nous fascine.

MÉDITATION

1937, peinture à l'huile, 34 x 39

Fondation Edward James, Chichester, Sussex.

Le ciel, la mer et la plage forment une vue tout à fait normale d'une côte. Pourtant on note des différences par rapport à une marine du 19ème siècle de Delacroix, Courbet ou Daubigny : le bleu presque nuit de la mer, la couleur peu naturelle de la plage. L'originalité de Magritte apparaît surtout dans la partie inférieure de l'œuvre. Là, il a peint trois bougies allumées qui se terminent en vers rampant sur la plage. La fusion du ver et de la bougie est inattendue, étrange et pourtant simple.

On ne doit pas chercher à interpréter cette toile à l'aide de la logique limitée de la réalité. Cette invention nous entraîne dans le monde de l'imagination qui a son origine dans le monde de la réalité observée. Cette dernière se transforme en passant dans l'esprit humain. L'analogie est l'élément actif. Pour Breton, l'analogie est essentielle en poésie. Il se réfère au poète Pierre Reverdy qui attachait la plus grande importance à la liaison de deux réalités sans rapports apparents entre elles, quand elle donnait de la force à l'image poétique. A cela, Breton ajoute la nécessité de l'image *analogue*.

Cette toile nous montre comment opère dans l'esprit le mécanisme qui permet de relier des images de nature différente.

LE CADRE VIDE

1934, gouache, 37 × 43

Fondation Edward James, Chichester, Sussex.

En 1929, Magritte peignit *Les charmes du paysage,* représentant un cadre sans toile placé contre un mur, portant une plaque de titre sur laquelle on peut lire *Paysage* et un fusil à droite lui aussi appuyé contre le mur.

Cette toile qui aurait pu s'appeler *Le tableau vide,* puisqu'il n'y a qu'un cadre, a néanmoins pour titre *Paysage,* la plaque de titre remplaçant le paysage manquant. Magritte ne nous montre pas un paysage mais une nature morte au fusil et au cadre.

L'œuvre que nous reproduisons ici est intitulée *Le cadre vide* est un tableau dans le tableau. Elle représente à la fois le mur d'une chambre lambrissée et un mur de brique qui semble si vrai que nous sommes sûrs qu'il s'agit bien de l'autre côté du mur gris intérieur. La coupe de ce mur donne à la pièce un air étrange et vague. Magritte se sert aussi de ce système de coupe dans *La cascade* et dans d'autres toiles qui traitent le thème du tableau dans le tableau.

C'est la vision simultanée d'un morceau de mur intérieur et d'un mur extérieur, sur une seule et même toile qui la rend absurde et fragile.

Tout dans cette toile est concret, exact, pénétrant et pourtant l'effet général produit est abstrait.

Magritte a rarement rendu la construction d'une «image» dérivée de la réalité plus directement et concrètement.

Reste le problème du titre. Langui *(Marlborough Catalogue,* Londres 1973) donne *La Saignée.* Il date la toile de 1934. Mariën la cite dans son livre sous le titre *L'oiseau qui n'a qu'une aile* (1941). Pour moi, j'ai gardé le titre qu'elle a dans l'inventaire de la fondation Edward James : *Le cadre vide.*

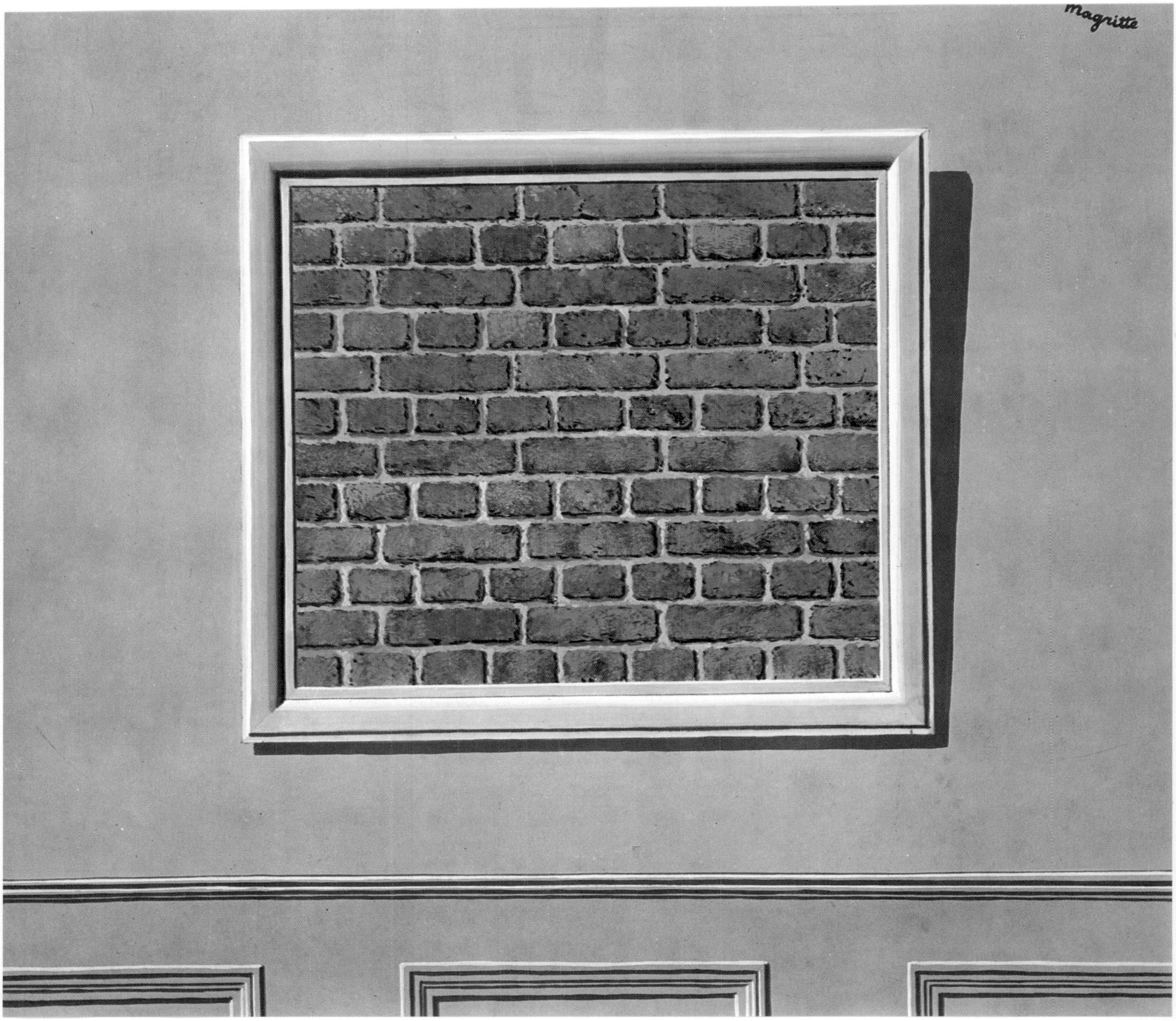
magritte

STIMULATION OBJECTIVE

1939, gouache, 35,5 × 49

Fondation Edward James, Chichester, Sussex.

La conception classique du buste des jeunes artistes du 19ème siècle qui avaient appris à dessiner sur les plâtres des vieilles académies ne satisfaisait plus Van Gogh. Obsédé par la vie réelle, incapable de s'en détacher, il se créa une vision vivante et sensuelle du buste, ce qui ne plût pas beaucoup à ses professeurs. Magritte, réagissant différemment, ne voulait pas donner une interprétation personnelle du thème. Il le traita dans un style très proche du néo-classicisme qui n'était pas du tout apprécié à son époque. Ce style nous communique une sensation de beauté que renforcent le bleu de la mer et le ciel serein.

Magritte en tant que surréaliste poursuit un autre but. Il nous propose une représentation grecque d'un buste et une mer infinie dans un cadre en forme de balustrade. Ainsi le principe intérieur et extérieur entre en jeu.

Cette scène s'adresse au spectateur car c'est dans son esprit que les proportions harmonieuses du buste et l'infinité de la mer se fondent pour former un tout. L'idée de placer une version réduite du buste au centre donne à la toile son cachet et la signe sans équivoque.

La version réduite *est* et *n'est pas* la même image. Elle n'est pas la même car par rapport à l'échelle de la toile et à la mer, elle apparaîtrait ridicule et romprait l'harmonie des proportions si elle n'était pas abritée par le grand buste. L'harmonie dépend des proportions; elle est rompue dès que les dimensions changent. Magritte nous montre quelque chose qui transcende les proportions ou qui du moins les rend problématiques.

L'ÉCHELLE DE FEU

1939, gouache, 27 × 34.

Fondation Edward James, Chichester, Sussex.

Magritte a dit à propos du thème du feu qu'il lui donna le privilège de connaître le sentiment qu'eurent les premiers hommes qui firent naître la flamme par le choc de deux morceaux de pierre. (note 42). Ce tableau représente le feu jaillissant d'un morceau de papier, d'une clef et d'un œuf. *L'échelle de feu I* (précédemment dans la collection Mesens) qui représente le feu s'élançant d'un morceau de papier, d'une chaise et d'une trompette avait été peinte en 1933.

Magritte nous montre ici le feu comme un phénomène absolu qui vient de la pierre qu'il ne dévore pas. Magritte aimait penser par catégories: lumière, air, feu, terre, pluie, soleil, fenêtre, mer, arbre.

Le titre fait allusion à tous les moyens ou instruments qui permettent d'arriver au feu (note 43).

LE MONDE POÉTIQUE II

1939, gouache, 27 × 22.

Fondation Edward James, Chichester, Sussex.

Les titres des œuvres de Magritte sont souvent très réalistes dans la collection de la Fondation Edward James. On trouve par exemple : «Composition aux nuages et au pâté», ailleurs «Deux tranches de pâté sur un bloc».

Dans *le monde poétique,* chaque élément, ciel, nuages, fenêtre, porte, bloc, tranches de pâté, a été peint d'une manière tout à fait réaliste et s'impose puissamment par sa couleur comme les objets en panneaux de l'époque de Jean Van Eyck.

Les rapports entre les choses, l'espace et les proportions sont seuls à subir une déformation. Les nuages nous entraînent vers l'extérieur et en même temps nous devons être à l'intérieur pour voir le pâté. Rien ne nous surprend car l'opposition extérieur-intérieur est ici remplacée par une opposition lumière-espace. La clarté et le pouvoir de la scène sont obtenus par le bleu, le blanc et le gris profond qui donnent une lumière intense. Chaque chose est soumise à cette lumière qui ne peut nous apparaître qu'à travers les objets.

LA BONNE AVENTURE

1939, gouache, 33,5 × 40,5.

Fondation Edward James, Chichester, Sussex.

Magritte a peint une série de toiles sur le thème de la représentation simultanée du jour et de la nuit sous le titre, *L'empire de la nuit*. *La bonne aventure* traite aussi ce problème.

Cette série fournit un intéressant sujet d'analyse à l'historien d'art. Il y a par exemple une ressemblance frappante entre les effets utilisés dans cette toile et certains tableaux du symboliste belge William Degouve de Nuncquesx bien que les moyens employés soient différents.

La comparaison avec le peintre romantique allemand Gaspard David Friedrich donne plus de résultat. La modernité du surréalisme de Magritte nous amène à douter qu'il puisse y avoir un rapport quelconque avec le romantisme. Une œuvre comme *La bonne aventure* confirme qu'une telle tendance existe.

En 1964, André Breton rédigea une introduction pour une exposition des œuvres de Magritte à Houston (Texas). Dans les dernières lignes, il fait allusion à une toile de la série *L'empire de la lumière*: «Il lui a fallu toute son audace pour attaquer ce problème, pour extraire de l'ombre ce qui est lumière et de la lumière ce qui est ombre. Dans cette œuvre, la violence faite aux idées reçues et aux conventions est telle (moi, Breton, je le tiens de Magritte) que la plupart de ceux qui passent rapidement devant elle pensent avoir vu des étoiles dans un ciel d'après-midi».

La gouache que nous reproduisons ici est l'une des premières solutions données par Magritte au problème de fusion du jour et de la nuit en un seul paysage. Dans ce paysage apparemment simple, Magritte englobe une richesse d'expériences de la lumière en trois catégories normalement séparées dans le temps; Magritte a dit à propos d'une des toiles de cette série: «Cette évocation du jour et de la nuit me semble douée du pouvoir de nous surprendre et de nous enchanter. J'appelle ce pouvoir poésie» (note 44).

LA MAISON DE VERRE

1939, gouache, 35 × 40.

Fondation Edward James, Chichester, Sussex.

Si l'on en croit ceux qui le connaissent, ce portrait est celui d'Edward James. Selon d'autres c'est celui de Magritte lui-même. Quel que soit le personnage représenté, c'est plus qu'un portrait. Psychologiquement cette toile marque la victoire de l'artiste sur sa peur quasi-superstitieuse du portrait.

Quand Magritte fit le portrait d'Edward James, il le peignit de dos, devant un miroir qui renvoyait l'image de son dos *(La reproduction interdite* fig. 40).

La maison de verre reproduit un visage de face qui ne regarde personne, d'un réalisme déconcertant et apparent par un trou dans le crâne (non seulement apparent mais aussi agressif). Cet acte de violence commis par l'esprit de Magritte est un pur truquage. Il consiste à rendre visible simultanément une vue de dos et une vue de face qui dans le monde réel et tridimensionnel existe seulement en tant que visible ou invisible. L'apparition de la simultanéité entraîne la non-application des lois de la représentation tridimensionnelle tout en gardant la technique de peinture qui en général l'accompagne. Cette ambiguïté très précisément exprimée délimite le territoire de Magritte.

Le titre évoque la transparence des choses. En 1959, Magritte peignit une toile intitulée *La clef de verre* (Collection Dominique John de Menil, Houston, Texas). Les titres eux aussi font partie du procédé qui rend la réalité transparente sans dévoiler son mystère mais au contraire en l'approfondissant.

LE POISON

1939, gouache, 35 x 40.

Fondation Edward James, Chichester, Sussex.

Magritte se livra à toutes sortes de jeux avec l'espace et le temps auxquels les choses de ce monde sont soumises. Il mêlait l'idée d'intérieur et d'extérieur et changeait les proportions. Sans toucher la forme des choses, il transformait le système des choses *(Le poison* agit sur l'organisme, sur le système nerveux) et donnait une valeur relative aux termes «petit» et «grand». Un nuage entre dans une pièce par la porte et devient un objet projetant son ombre sur le mur. Ce nuage appartient aussi à la mer et au ciel que l'on aperçoit au-dehors par la porte entr'ouverte. Il doit y avoir un observateur invisible, témoin de la fusion entre l'intérieur et l'extérieur. Ce pourrait être le peintre lui-même ou le spectateur de la toile. La porte subit un changement de couleur invraisemblable: vers le bas, elle a la consistance et la couleur du bois et vers le haut elle prend un ton bleu vif et transparent, celui du ciel au-dessus de la mer. On obtient ainsi la fusion du paysage extérieur et de la pièce qui transcendent toute contradiction spatiale et perdent leur caractère absolu.

Cette vision correspond bien à l'esprit qui anime André Breton dans son second manifeste surréaliste (octobre 1929). Cette année là Magritte, René Char, Luis Bunuel et Salvador Dali furent admis dans le groupe surréaliste ce qui faisait dire à André Thirion: «C'était de l'or qui rentrait à pleines charretées. L'évènement était capital. Toutes les alertes politiques étaient conjurées» (note 45).

«La limite où l'on ne remarque même plus les contradictions», cette phrase du second manifeste surréaliste d'André Breton s'applique fort bien à la métamorphose de l'espace dans l'œuvre de Magritte.

LA TROISIÈME DIMENSION

1942, peinture à l'huile, 74×55.

Collection Mme Jean Krebs, Bruxelles.

Magritte explora plus d'une fois, avec toute l'application d'un peintre du 15ème siècle, le vert brillant et foncé des feuilles d'arbre. *La troisième dimension,* la feuille est si large que huit oiseaux peuvent se percher sur ses nervures comme sur les branches d'un arbre, (ou les oiseaux sont si petits qu'une seule feuille leur suffit).

C'est sûrement par pur plaisir que Magritte a crée le rouge vif et toutes les autres couleurs du monde des oiseaux. Il fut certainement aidé par son ami Scutenaire qui était ornithologiste.

Dans *Le regard intérieur,* Magritte place la feuille sur le rebord d'une fenêtre dans une pièce avec vue sur un paysage. Dans *La troisième dimension,* il n'y a pas de chambre; la feuille semble flotter contre ou au-dessus d'un ciel de nuages bleus sur une mer calme.

Tout dans *La troisième dimension* est abstrait, bien que peint avec réalisme. De nouveau l'idée logique et rationnelle est subordonnée à l'«image» qui évoque une cohérence d'un ordre différent. A sa façon, Magritte conçoit l'espace comme les enfants: «J'étais dans le même état d'innocence que l'enfant qui croit pouvoir saisir de son berceau l'oiseau qui vole dans le ciel». (Voir le commentaire de la planche 47 sur la conception de l'espace par l'artiste).

LES RENCONTRES NATURELLES

1945, peinture à l'huile, 81×65.

Collection Louis Scutenaire, Bruxelles.

En regardant cette toile, on fait l'expérience d'une étrange rencontre. Ce qui frappe le plus, c'est la douce couleur violette du mur qui domine toute la toile, plus chaude et plus vive vers le bas, et les tons rouge-violacés des deux curieux mannequins.

Les deux mannequins tronqués à hauteur de poitrine et l'absence de lignes convergentes de perspective ne permet pas de déterminer à quelle distance du mur ils se trouvent ni les dimensions de la pièce. Seules les fenêtres s'inscrivent dans une perspective : pour la fenêtre de gauche, l'observateur est à droite et pour celle de droite, il est à gauche. La fenêtre de droite semble pencher d'un côté, effet accentué par la vue qu'elle nous offre. Cette vue suggère l'extérieur, la troisième dimension que l'on retrouve à l'intérieur dans les deux mannequins pâles comme la mort, et dans les deux étranges fenêtres sans lien avec le mur du fait de l'abaissement de l'une d'entre elles : nous sommes entraînés dans un monde incertain et changeant.

La «rencontre» n'a pas lieu entre les deux mannequins ni entre le spectateur et la toile mais entre le monde extérieur et le monde intérieur. Alors les contradictions perdent leur signification, dans un moment d'illumination nous descendons au plus profond de nous-mêmes et nous participons à la rencontre de ces deux mondes.

PERSPECTIVE : LE BALCON DE MANET

1949, peinture à l'huile, 80 × 60.

Musée Voor Schone Kunsten; Gand.

Pourquoi Magritte a-t-il transformé les personnages charmants du balcon de Manet (1869) et la belle Madame Récamier de David (1800) en cercueils? Après ces deux œuvres, il abandonna l'adaptation de tableaux célèbres pour se livrer à ses propres variations sur le thème du cercueil. Il reprit le portrait de *Madame Récamier* vers la fin de sa vie pour en faire un bronze (figures 57 et 58).

Le spectateur est surpris de voir tous ces personnages transformés en cercueils. Mais comme il a toujours en tête les très célèbres toiles de Manet et de David, il reçoit une impression mitigée. Le souvenir de ces toiles avec leurs personnages vivants se mêle à l'invention de Magritte.

On est tout d'abord surpris de cette transformation. En d'autres termes, le spectateur est confronté avec l'idée de mort. Mais vue sous cet angle, la mort fait ressortir le charme de la vie.

Par la suite, Magritte peignit d'autres toiles sur le thème du cercueil. Mais elles ont moins de force car il manque le point de comparaison, les souvenirs liés à une toile célèbre.

PERSPECTIVE: MADAME RECAMIER DE DAVID

Peinture à l'huile, 65 x 81.

Collection Mme J. Vanparys-Maryssael, Bruxelles.

Comme Poe, Magritte fut toute sa vie fasciné par la mort et celà dès son plus jeune âge: le suicide de sa mère, ses jeux dans le cimetière de Soignies. Plus tard il fit même des expériences grotesques et macabres. Il passa un après-midi dans un magnifique cercueil pourvu d'une fenêtre coulissante sur le couvercle qui permettait de voir le visage du défunt. Cette expérience ébranla ses nerfs et il tomba malade.

Une autre fois il invita des amis chez lui alors que le corps d'un policier était exposé solennellement dans une chambre de la maison.

Les cercueils attiraient Magritte pour diverses raisons. Mais en aucun cas il ne fut influencé par le tableau de Antoine Wiertz, *L'enterrement précipité* (note 46). La principale raison est sûrement la lecture des œuvres de Poe traitant de la mort et de la vie après la mort.

Vers la fin de sa vie, Magritte fit un bronze sur le thème de Madame Récamier (fig. 5 et 58).

SOUVENIR DE VOYAGE.

Peint après 1950, peinture à l'huile, 81 × 100.

Collection Mme Jean Krebs, Bruxelles.

Après 1948, Magritte traversa ce que l'on peut appeler «son âge de pierre». Un aigle émerge de ce paysage montagneux, un aigle de pierre comme les montagnes. Il accentue l'aspect majestueux de la chaîne de montagne d'une manière terrifiante mais efficace. On voit aussi un amoncellement d'énormes rochers, évocateur de l'époque mycénienne et deux petits personnages, insignifiants par rapport à l'histoire du monde, qui se parlent en traversant le paysage que, perdus dans leur bavardage, ils ignorent.

En vérité, le thème de la pétrification parcourt toute l'œuvre de Magritte. Dali aussi s'est intéressé à ce processus mais sous un jour différent. Pour Magritte ce n'est pas un processus mais une sorte de catastrophe, comme celle de Pompéi (la lave pétrifiant le monde et arrêtant tout mouvement).

Dans ce tableau, Magritte imagine une pomme et une poire de pierre couleur jade recouvertes de petites craquelures au bord d'une mer calme. Il se dégage de ces formes une grande puissance qui ne vient ni du dessin audacieux ni des couleurs vives ni de l'emphase plastique. D'où vient-elle alors? L'œuvre est imprégnée d'une lumière paisible, douce et poétique transmise par la touche fine et légère comme celle d'un peintre primitif. L'effet grandiose que produisent les formes est dû au traitement de la lumière que Magritte rend comme quelque chose d'infini qu'on ne peut voir qu'à travers et sur ces formes. Lumière, forme et espace se mêlent en une étrange et magnifique harmonie.

SOUVENIR DE VOYAGE III

1951, peinture à l'huile, 83,5 × 65.

Collection Adélaïde de Menil, New York.

«L'age de pierre» de Magritte commença peu après le début de la seconde guerre mondiale, mais ce n'est qu'après 1950 (époque où apparaît le thème des cercueils) qu'il s'exprima totalement. D'ailleurs ce thème de la pierre se mêle à tous les autres thèmes de l'œuvre de Magritte. On le retrouve dans de nombreux tableaux, traité avec plus ou moins d'emphase: *Le domaine d'Arnheim, Le château des Pyrénées, L'art de la conversation, Le chant de la violette* (fig. 42) et la série des *Souvenirs de voyage.*

Dans *Le château des Pyrénées* (frontispice) Magritte modifie la matière et les lois de la pesanteur mais l'espace et le paysage continuent à vivre. Dans *Souvenir de voyage* rien n'est changé dans l'aspect des gens et des choses. Seulement tout est pétrifié, arrêté. Le monde vivant n'existe plus. Le mot «souvenir», élément important de toutes les œuvres romantiques prend ici un sens sarcastique ou tout au moins ironique.

La mémoire humaine est englobée dans un processus plus poignant, celui de la vie qui s'est arrêtée. Même le pétrifié s'use et disparaît.

LES VALEURS PERSONNELLES

1952, peinture à l'huile, 81 × 100.

Collection Harry Torczyner, New York.

Le titre de cette œuvre exprime littéralement ce que l'on voit dans la chambre ici représentée.

Magritte a tellement modifié les proportions entre les différents objets, qu'entre le plus petit objet du monde réel, (l'allumette) et les plus grosses pièces du mobilier (le buffet et le lit) elles sont presque inversées. Le peigne paraît énorme et le verre a la taille d'un être humain. Et ce n'est pas tout. On peut accepter que les murs de la chambre soient transparents. Mais on aperçoit un effet d'ombre dans un coin, à l'endroit où le mur droit rencontre le mur principal. Le buffet et le peigne projettent aussi leur ombre. On se rend compte alors que la transparence est irréelle.

J'ai vu souvent cette toile et chaque fois je remarque que le truquage des proportions est si bien fait qu'on l'accepte. Le style qui rappelle les intérieurs italiens du début du 16ème siècle, contribue à nous faire accepter ces transformations. Devant cette toile on pense à Vittore Carpaccio. Elle a la même clarté, la même profondeur, et la même douceur que les toiles du maître italien. Finalement, ce qui surprend, c'est le réalisme de la lumière statique et du ciel lumineux qui apparaissent à travers les murs.

LE 16 SEPTEMBRE

1957, peinture à l'huile, 162×130.

Collection Dominique et John de Menil, Houston, Texas.

Parmi les thèmes de Magritte, on peut citer, le bilboquet-mannequin, les cloches de harnais, le chapeau melon, les rideaux et aussi la forêt et l'arbre dont il parle souvent dans ses conférences: «L'arbre, comme objet de problème, devint une grande feuille dont la tige était un tronc plantant ses racines directement dans le sol. Je l'appelai, en souvenir d'un poème de Baudelaire, «La géante» (note 47). (Voir aussi *La troisième dimension*). Il a dit aussi (cité par Suzi Gablik): «S'élançant de la terre vers le soleil, l'arbre est une image de bonheur. Pour sentir cette image il faut être immobile comme l'arbre. Si nous bougeons, c'est l'arbre qui devient spectateur. Il est témoin, également, sous forme de chaises, tables ou portes, du spectacle plus ou moins agité de notre vie. L'arbre, quand il devient cercueil, disparaît dans la terre. Et quand il est transformé en feu, il s'évanouit dans l'air» (note 48).

Au début, de 1925 à 1930, Magritte peint des arbres sombres, sauvages, ramassés et nerveux. Ils ne représentent pas, comme pour Gaston Bachelard, la maison, la terre natale, le ventre de la mère. Ce n'est que plus tard que Magritte rend l'arbre habitable. Bachelard, à propos de Bernardin de Saint-Pierre écrit (et on ne peut s'empêcher de penser à l'arbre habité par Magritte): «Mais au cœur de l'arbre la rêverie est immense... mon protecteur est tout-puissant. Il défie les orages et la mort. C'est une protection totale... Du fond de l'arbre creux, au centre du tronc caverneux, nous avons suivi le rêve d'une immensité ancrée» (note 49).

Dans *Le 16 Septembre,* Magritte a atteint l'immobilité qui lui permet de ressentir la forme intérieurement. De cette immobilité naît le silence, mystérieux silence dans lequel l'intimité de l'arbre, peint minutieusement (à la manière de Gaspar David Friedrich) se transforme en immensité. Magritte est en plein romantisme. La nuit s'empare de l'espace occupé par l'arbre. La lune est en face de lui. C'est ce qui nous prouve que nous ne sommes pas devant une toile du 19ème siècle. On pense à des poètes tels que Novalis et Rilke.

LES VACANCES DE HEGEL.

1958, peinture à l'huile, 60 x 50.

Collection Isy Brachot, Bruxelles et Knokke-le Zoute.

Magritte possédait les œuvres philosophiques de Hegel en traduction française. Il avait aussi dans sa bibliothèque des livres de Fichte, Feuerbach, Heidegger, Spinosa, Platon et Sartre.

Dans *L'Eloge de la dialectique* (1937), le titre et la toile elle-même (de la fenêtre ouverte on voit une maison dont la façade est à l'intérieur) montrent que «l'unité des contraires» de Hegel était bien connue de Magritte.

Magritte ne fit jamais d'étude approfondie de la doctrine de Hegel, mais il emprunta à celui-ci ce qui lui était nécessaire pour ses recherches sur l'essence des choses visibles. Dès lors, il est compréhensible que la simultanéité de deux actions contraires («le vouloir» et «le non-vouloir» comme les appelle Magritte) fasse naître un objet surprenant: un parapluie ouvert flottant dans l'air, un verre d'eau en équilibre à son sommet. Seul le titre (choix personnel de Magritte) exprime l'idée qu'en vacances, Hegel aurait été amusé par ce spectacle. C'est la couleur, en particulier le fond rosé, qui en créant une impression d'espace irréel rend acceptable l'idée du parapluie qui flotte.

Dans une lettre du 19 mai 1958 adressée à Suzi Gablik, Magritte donne une explication amusante sur sa création. Une ligne illogique près du verre lui fit penser à un parapluie et devint ainsi un parapluie.

LE TOMBEAU DES LUTTEURS

1960, peinture à l'huile, 89 × 117.

Collection Harry Torczynr, New York.

Cette toile fut peinte par Magritte sur commande. En dépit de la tradition post-romantique qui voulait que l'artiste, retranché dans son monde intérieur, ne travaille que pour lui-même, Magritte ne dédaigna jamais les commandes. De ce point de vue, il se rattache à la tradition du moyen-âge.

Le titre de cette toile, *Le tombeau des lutteurs,* s'inspire d'une nouvelle du symboliste français Léon-Alpinien Cladel, *Ompdrailles, le tombeau des lutteurs* (1879). On retrouve dans cette toile le thème de la rose qui intéresse Magritte depuis toujours. Dans sa période de style futuro-cubiste, il avait peint une rose à la place du cœur d'un nu féminin. Il avait alors remarqué qu'elle ne produisait pas l'effet excitant qu'il espérait. Elle avait besoin d'être mise plus en valeur. Il va alors traiter le problème différemment en se donnant pour but «de dépasser le plan des images et de mettre en cause le monde réel» (note 50).

Il avait aussi pensé peindre un squelette cueillant une rose dans un magnifique jardin sous un ciel étoilé (note 51). Pourtant il ne le fit jamais. Par contre, il peignit une rose sur un réverbère, composition d'un grand charme poétique.

Dans *Le tombeau des lutteurs,* la rose emplit la pièce du sol au plafond de sa sensualité rayonnante sans pour autant diminuer l'espace. Par sa présence dans la pièce, par son parfum, sa couleur et sa forme, la rose attire le spectateur et s'empare de ses réflexions et de ses émotions intimes. Il en résulte une image intérieure de la rose qui occupe l'espace sans l'accaparer.

LE DOMAINE D'ARNHEIM.

1962, peinture à l'huile, 146 × 114.

Collection Mme Georgette Magritte, Bruxelles.

Le titre de cette toile est emprunté à l'histoire d'Edgar Allan Poe intitulée: «Le domaine d'Arnheim» (histoires grotesques et sérieuses). Magritte n'illustre pas l'histoire à la lettre; il ne fait que s'en inspirer, cherchant à rendre en peinture l'esprit de la description d'Ellison, le narrateur. Dans le magnifique et fantastique paysage qu'il nous décrit, les phénomènes naturels ont été transformés par l'intervention spirituelle d'êtres supérieurs. Ils ne l'ont été ni par Dieu ni par une émotion de Dieu, selon Poe, par la main des anges.

Sans l'histoire de Poe, Magritte n'aurait peut-être jamais pensé à peindre l'aigle s'élançant de la chaine de montagnes et surplombant le paysage, ni les trois petits œufs dans le nid sur la balustrade de pierre.

Magritte nous restitue en peinture le souvenir sublimé d'une émotion fortement ressentie, en l'adaptant et en la modifiant.

LA PEINE PERDUE.

1962, peinture à l'huile, 49 × 79,5.

Collection Harry Torczyner, New York.

Le bleu est une couleur qui fascine Magritte depuis 1926. Il lui donne, au fil des années, des valeurs différentes. En 1936, il obtient une transparence et une grande clarté avec des bleus très clairs.

La peine perdue est une composition en bleu qui reprend de nombreux éléments des périodes passées : la balle fendue, les cloches. Le ciel plein de nuages (qui serviraient d'arrière-plan s'ils ne réapparaissaient pas au niveau des rideaux) a subi un changement de couleurs. Devant cette triple version de nuages, on oublie la réalité. Magritte réalise un arrangement symphonique «pour nuages et ciel». De chaque côté de la scène gris-bleue (car c'est d'une scène qu'il s'agit) pendent, si l'on peut dire, car en fait ils ne font rien, ils «sont», deux rideaux, division d'un même espace. Dans cet arrangement ils figurent les premières mesures d'ouverture, rôle modeste conduisant au thème principal.

Dans *Les mémoires d'un saint* (1960, collection D. et J. de Menil, Houston, Texas), l'idée de décor est presque appliquée littéralement. De plus, la toile en apparence très simple a la tâche difficile d'ouvrir des perspectives sans fin sur un monde intérieur en se servant d'un monde *artificiel*. Les rideaux jouent un rôle primordial dans ce processus car ils relient le monde extérieur au monde intérieur grâce à une graduation subtile, indispensable pour ressentir les dimensions de l'espace dans le monde visible.

Magritte est à la fois metteur en scène et public. Louis Scutenaire dans son livre sur l'artiste écrit: «Il n'a rien du comédien. S'il y a beaucoup de rideaux de théâtre dans ses toiles on n'en voit point dans sa vie» (note 52).

Selon Harry Torczyner, le titre serait lié à une humeur triste de l'artiste et au souvenir d'une vieille rue de Bruxelles baptisée «La peine perdue» et transformé par l'usage en «Pain perdu».

L'HOMME AU CHAPEAU MELON.

1964, peinture à l'huile, 63,5 × 48.

Collection Simone Withers Swan, New York.

L'homme au chapeau melon est un personnage qui hante l'imagination de Magritte depuis 1920. C'est la figure de l'homme de la rue, appartenant à un tout, aux «milliers d'autres», aux «égaux» et en même temps seul. Magritte n'a jamais réellement peint l'homme. Il a peint la disparition de l'homme. Mais il ne faut pas s'y tromper. C'est une disparition complètement différente de celle expérimentée par la peinture abstraite. Dans l'œuvre de Magritte l'être humain joue à cache-cache; il est là et il n'est pas là. L'artiste le poursuit, s'agrippe à son manteau et s'aperçoit qu'il est vide. Il ne lui reste qu'un bilboquet entre les mains.

Magritte sépare la représentation de l'être humain lui-même, comme il sépare l'objet de son nom. Vers 1964, sa technique du portrait se résume à la représentation d'un chapeau melon, d'un costume de confection et d'un visage invisible (caché derrière un pigeon); il complète le tableau par un horizon bas et un ciel. Malgré cela, nous savons exactement quelle sorte de visage se cache derrière le pigeon.

Il y a dans l'œuvre de Magritte de quoi intéresser le psychanaliste; il préfère cacher le visage sous un chiffon (souvenir de sa mère morte noyée); il dissimule l'expression du visage derrière une pomme; il préfère voir l'homme ou la foule de dos (voir «L'homme des foules» de Poe). Il n'aime pas le regard perçant de Van Gogh. Il transforme l'œil en miroir et le miroir en œil. L'œil cache, reflète et fait écran.

Un jour on lui demanda de faire son auto-portrait et il peignit *Le fils de l'homme* (fig. 43). Tout y est: le corps, les vêtements et la pomme qui cache le visage. Mais ce dernier est invisible. L'être humain a perdu son identité. Ce n'est plus une plaisanterie. La retrouvera-t-il?

Dans *Le Fils de l'homme,* Magritte a peint le vide. La force de la toile réside dans cette peinture du néant dans l'intensité des blancs éclatants (le col et l'oiseau) opposés aux bleus foncés et aux noirs.

LE BLANC-SEING.

1965, peinture à l'huile, 81×65.

Collection Alexandre Iolas, New York, Genève, Milan, Paris.

Cette toile pourrait n'être qu'un banal paysage de forêt en été sans le cheval et l'élégante amazone au regard vide. D'ailleurs si l'on regarde attentivement la toile, cette impression est fausse car entre les feuilles sombres du premier plan et les petits arbres (arbres fruitiers peut-être?) à l'arrière-plan, on remarque un rideau ou toile de fond derrière les branchages de couleurs pâles qui semblent n'appartenir à rien et ne dépendre d'aucun tronc. Ils remplacent le ciel et privent la toile de profondeur.

Ce dernier point me rappelle une explication de Magritte (citée par Louis Scutenaire) au sujet de la nature abstraite des images peintes par opposition à la nature concrète des images de la vie réelle: «...malgré les combinaisons compliquées de détails et de nuances d'un paysage réel, je pouvais le voir comme s'il n'était qu'un rideau placé devant mes yeux. Je devins peu certain de la profondeur des campagnes, très peu persuadé de l'éloignement du bleu léger de l'horizon, l'expérience immédiate le situant simplement à la hauteur de mes yeux. J'étais dans le même état d'innocence que l'enfant qui croit pouvoir saisir de son berceau l'oiseau qui vole dans le ciel (note 53).

Cette découverte ne correspond en rien à l'abstraction cubiste. Elle s'écarte de l'idée d'espace entièrement soumise à la perspective. Ce développement dans l'œuvre de Magritte de l'espace pré-Renaissance qui contrarie le mouvement et modifie la profondeur lui donne la possibilité de créer et de jouer avec des espaces imaginaires.

L'idée de faire se mouvoir le cheval et l'amazone sur deux plans est habile et trompeuse (trompeuse à cause de sa précision). Entre les deux troncs le rideau de feuillage cache en partie le cheval et les rênes si bien que le cheval semble passer entre ces deux troncs.

Il suffit d'un rien, d'une légère modification de l'espace et l'absurde entre en scène et permet à Magritte de se créer un univers nouveau.

L'ART DE VIVRE.

1967, peinture à l'huile, 65 × 54.

Collection Alexandre Iolas, New York, Genève, Milan Paris.

Magritte peignit *L'art de vivre* pour Alexandre Iolas l'année de sa mort. On retrouve dans cette toile de nombreux éléments de son œuvre : portraits de citoyens tous sur le même modèle, citoyens décapités, alignés devant une balustrade de pierre dans un décor de montagnes. Mais comme toujours, Magritte apporte quelque chose de nouveau. Là, c'est un énorme ballon qui flotte au-dessus du corps décapité et qui en fait en est la tête. Il est rose, couleur que Magritte utilisa bien avant 1930 et qui reste une de ses couleurs préférées pour rendre certaines situations. A l'intérieur du ballon on distingue en tout petit des yeux, un nez et une bouche qui nous paraissent mystérieux sans raison apparente puisqu'ils sont l'expression du vide normalisé comme le costume qui représente un être humain et qui cache tout (les petits péchés que la société permet et les gros péchés qu'elle interdit). C'est la présence du banal (du *très banal* qui nous frappe).

«L'humour objectif» qu'André Breton oppose à «l'humour subjectif» dans sa conférence sur «La position surréaliste de l'objet» (note 54), se retrouve dans cette peinture d'un citoyen. Breton appréciait cet humour objectif dans les pièces d'Alfred Jarry et dans les œuvres futuristes et dadaïstes. Une fois de plus Magritte se déchaîne contre le citoyen moyen à travers l'humour objectif de l'énorme ballon rose vif, couleur de la belle vie qui cache l'auto-satisfaction et le vide.

NOTES

1. Paul Nougé, *Histoire de ne pas rire* (Bruxelles: Les lèvres nues, 1956). p. 279.

2. Suzi Gablik, *Magritte* (Londres: Thames and Hudson, 1970). p. 71.

3. Max Ernst, *Ecritures* (Paris: Gallimard, 1970), p. 328.

4. Louis Scutenaire, *René Magritte* (Bruxelles; Librairie sélection, 1947), pp. 62 et 80.

5. Ibid, p. 82.

6. Camille Goemans, *Oeuvre (1922–1957)*, (Bruxelles: André de Rache, 1970), p. 223.

7. Archives de l'art contemporain en Belgique, Musées Royaux des Beaux-Arts de Belgique, Bruxelles, Inv. 9924.

8. Scutenaire, *Magritte,* p. 68.

9. Archives de l'Art Contemporain, Inv. 9927.

10. Archives de l'art contemporain, Inv. 4418 (lettre du 25 août 1960)

11. C. E. Green, *Les rêves lucides* (Institut de recherche psychologiques d'Oxford, 1969), p. 34.

12. Catalogue de l'exposition rétrospective au Palais des Beaux-Arts de Bruxelles, 1954, pp. 6–7.

13. Scutenaire, *Magritte,* p. 81.

14. Voir Suzi Gablik, *Magritte,* figs. 108–22.

15. Douglas Cooper, *L'époque cubiste* (Londres, Phaïdon Press, 1971).

16. Archives de l'Art contemporain. Inv. 8905.

17. *Les cahiers du chemin* (Paris, Gallimard), n°: 2, janvier 1968, pp. 77–105.

18. Ludwig Wittgenstein, *Carnets 1914–1916,* éditions G. H. von Wright et G. E. Anscombe, trad. G. C. Anscombe (New York, Harper and Row, 1969).

19. René Magritte, «Les mots et les images», *La révolution surréaliste* (Paris), 5, n°: 12 (15 décembre 1929).

20. Wittgenstein, *Carnets 1914–1916,* p. 104.

21. Georges Mounin, *Saussure* (Paris, Seghers, 1968), pp. 110–11.

22. Michel Foucault, *Les mots et les choses* (Paris, Gallimard, 1966), p. 358.

23. Edward H. Davidson; *Poe. Etude critique* (Cambridge, mass: Harvard University Press, Belknap Press, 1969), p. 60.

24. Charles Baudelaire, «Salon de 1859. Le gouvernement de l'imagination», *Curiosités esthétiques* (Paris, 1890), p. 251.

25. Henri Michaux, *Les grandes épreuves de l'esprit* (Paris: NRF, Le point du jour, 1966), p. 9.

26. Citation de Basil Willey sur Coleridge reprise par Stephen Prickett, *Coleridge et Wordsworth* (Cambridge University Press, 1970), p. 187.

27. Ibid. p. 176.

28. Suzi Gablik, «Conversation avec René Magritte», *Studio international* (Londres) 173, n°: 887 (mars 1967), pp. 128–131.

29. Archives de l'art contemporain. Inv. 9809.

30. Technique de pensée surréaliste employée par De Chirico en 1910 et reprise par les surréalistes belges. Paul Nougé, poète et essayiste, ami de Magritte fit des expériences photographiques entre décembre 1929 et février 1930 pour un livre, *Subversion des images,* qui ne fut jamais terminé. Ce livre a été publié par Marcel Mariën aux Editions Les lèvres nues, Bruxelles, 1968.

31. Publié en 1925 dans un opuscule, *A défaut de silence,* réimprimé en 1925 avec 20 dessins de Max Ernst. Inclus dans le volume A des éditions

de la Pléiade (Paris), p. 166, documentation volume II, p. 1322.

32. *L'expérience continue* (Bruxelles: Les lèvres nues, 1966).

33. «Pour illustrer Magritte». Les lèvres nues (Bruxelles), n°: 34–35 (avril 1970).

34. *Openbaar kunstbezit* (Amsterdam), 1969, p. 32B.

35. *Les cachiers du chemin* (Paris, Gallimard), n°: 2, janvier 1968, p. 83.

36. Scutenaire, *Magritte,* p. 85.

37. Ibid, p. 28.

38. Ibid, p. 83.

39. Edition spéciale de *La carte d'après nature,* janvier 1954, publié par Magritte, Jette-Bruxelles.

40. Scutenaire, *Magritte,* p. 82.

41. Ibid., p. 83.

42. Ibid., p. 82 et Paul Nougé, *Histoire de ne pas rire,* p. 296, sous le titre *De ontdekking van het vuur* (La découverte du feu).

43. Voir James Thrall Soby, *René Magritte* (New York: Musée d'Art moderne, 1965), pp. 26–27, et Suzi Gablik, *Magritte,* fig. 72.

44. Archives de l'art contemporain, Inv. 343.

45. André Thirion, *Révolutionnaires sans révolution* (Paris: Robert Laffont, 1972).

46. Cf. Philippe Roberts-Jones, *Bulletin des Musées Royaux des beaux-arts de Belgique* (Bruxelles), 1968, n°: 1–2.

47. Scutenaire, *Magritte,* p. 83 et Paul Nougé, *L'expérience continue,* pp. 355 et 424: transcription d'un poème et d'une note sur une toile de Magritte intitulée *La géante,* 1931.

48. Suzi Gablik, *Magritte,* p. 27.

49. Gaston Bachelard, *La terre et les rêveries du repos* (Paris: José Corti, 1948), pp. 117–18, et *La poétique dans l'espace* (Paris: Presses Universitaires de France, 1958), pp. 182–83.

50. Scutenaire, *Magritte,* p. 78.

51. Ibid., p. 25.

52. Ibid., p. 26.

53. Ibid., p. 77.

54. Publié à Prague le 29 mars 1935 et réimprimé dans *La Bibliothèque volante* (Paris Editions Pauvert) n°: 202 (Mai 1971).

BIBLIOGRAPHIE CHOISIE

ECRITS SUR MAGRITTE

Blavier, André. *Ceci n'est pas une pipe.* Contribution furtive à l'étude d'un tableau de René Magritte. Verviers. Temps mêlés, 1973 (publié par la Fondation René Magritte, Bruxelles).

Gablik, Suzi, *Magritte,* Londres : Thames and Hudson, 1970; Greenwich, Conn. : New-York Graphic Society, 1971. Après le livre de Waldberg (cité plus bas) c'est une étude thématique et analytique importante avec des notes sur un séjour de plusieurs mois chez les Magritte.

Hofman, Werner/«Zu einem Schlüsselbild von Magritte», *Jahrbuch der Hamburger Kunstsammlungen 16* (1971), pp. 157–66.

Mariën, Marcel : *Magritte,* Bruxelles. Les Auteurs associés, 1943.

Passeron, René : *René Magritte,* Paris : Filipacchi-Odegé, 1970.

Perre, Hugo van de : «René Magritte», *Kroniek van Kunst en Kultuur* (Amsterdam) 21, n° 8 (1961), pp. 52–60. Cet essai sur les deux expositions de 1961 à Londres est précédé d'un court article de Magritte (L'art de la Ressemblance) et d'une traduction en hollandais par Van de Perre) du texte de l'artiste «La Ressemblance» qui se trouve dans le catalogue d'exposition de l'Obelisk Gallery (Voir liste des catalogues d'expositions).

Roberts-Jones, Philippe. *Magritte, poète visible.* Bruxelles : Laconti, 1972. Commentaires individuels sur un certain nombre de toiles.

Rosey, Guy et Scutenaire, Louis. *Magritte, les images en soi.* New York et Paris : Alexandre Iolas, 1967. Brochures; textes en français, italien et anglais.

Scutenaire, Louis. *René Magritte,* Bruxelles. Librairie Sélection, 1947. *Magritte.* Chicago : Fondation William et Noma Copley (1947). Traduction anglaise (Eleanor Hodes) de l'essai de Scutenaire sur Magritte publié en flamand et en français (Anvers) Ide Sikkel, pour le Ministère de l'Instruction publique (1948).

Soby, James Thrall. *René Magritte.* Musée d'Art Moderne, New York. 1965. Du même auteur, catalogue d'exposition.

Vovelle, José. «Un surréaliste belge à Paris, Magritte (1927–1930)» – *Revue de l'Art 12* 1971, pp. 55–63. Analyse détaillée des faits.

Walberg, Patrick. *René Magritte.* Traduction de Austryn Wainhouse. Bruxelles. André de Rache, 1965. Cet ouvrage comprend une bibliographie complète et une liste des expositions de Magritte jusqu'en 1965 de André Blavier. Livre de références précieuses sur Magritte et son entourage à Bruxelles.

LES ECRITS DE MAGRITTE

André Blavier (dans le livre de Patrick Waldberg, *René Magritte* (1965) a répertorié 50 textes de Magritte. Le catalogue de l'exposition Magritte au Musée Boymans-van Beuningen de Rotterdam (1967) en énumère également 50.

Magritte a repris souvent, en les nuançant, ses formules lapidaires sur les principes de base de son œuvre. Il participait à la publication de petites brochures ou de revues, seul ou en collaboration avec ses amis. Par exemple, *La carte d'après nature, Bizarre, Paroles datées* et *Rhétorique* nous font connaître *l'esprit du milieu* (La rhétorique avertit le lecteur qu'on ne peut s'abonner à la revue, sa publication étant irrégulière).

D'autres écrits furent publiés dans la revue *Les lèvres nues*: extraits de textes, lettres, documents, esquisses, photographies. Cette revue paraissait à Bruxelles sous la direction de Marcel Mariën.

LES CATALOGUES DES EXPOSITIONS

Rétrospective Magritte, Palais des Beaux Arts, Bruxelles, 1954. Texte de Magritte, «La pensée et les images»; notes biographiques, anthologie critique, «l'eau qui a coulé sous les ponts»; courte bibliographie; liste des expositions. Bruxelles, Edition de la Connaissance, 1954.

René Magritte en Amérique. Musée d'Art Contemporain, Dallas (et aussi Musée des Beaux-Arts, Houston), 1961. Exposé de Magritte en français et en anglais, notes biographiques; texte de Douglas MacAgy, «A propos de l'art de Magritte».

Magritte, Grosvenor Gallery, Londres, 1961. Texte de E. L. T. Mesens, «A selfappointed mission in contemporary art».

Magritte: Peintures, gouaches et dessins, Obelisk Gallery, Londres, 1961. Catalogue de Philip M. Laski: texte de Magritte, «La ressemblance» nombreux textes d'artistes et de critiques.

René Magritte dans les collections privées américaines, Galeries Albert Landry, New York, 1961. Introduction d'Harry Torczyner.

La vision de René Magritte, Walker art center, Minneapolis, 1962. Introduction de Susi Gablick; fac-similé d'un texte de Magritte.

Magritte, Arkansas Arts Center, Little Rock, 1961. Exposition préparée par la section d'art de l'université de St. Thomas, Houston; introduction «L'envergure de René Magritte» de André Breton (traduction anglaise de W. G. Ryan, «The breadth of René Magritte»). En français et en anglais.

René Magritte. Musée d'Art Moderne, New York, 1965. (en collaboration avec le Rose art museum, Brandeis university). Textes de James Thrall Soby. Bibliographie de Inga Forslund.

René Magritte. Musée Boymans-van Beuningen, Rotterdam, 1967. Introduction de Jean Dypréau.

Les huit sculptures de Magritte, Hanover Gallery, Londres, 1968. Avec des poèmes de Paul Colinet.

René Magritte. Byron Gallery, New York, 1968.

René Magritte, Kestner Gesellschaft, Hanovre, 1969. Textes de Wieland Schmied et Volker Kahmen.

Magritte. Tate Gallery, Londres (The arts council of Great Britain), 1969. Texte de David Sylvester.

Rétrospective René Magritte, Musée National d'Art Moderne, Tokyo et Musée National d'art moderne; Kyoto, 1971. Introduction de Emile Langui.

Peintres de l'imaginaire: Symbolistes et surréalistes belges. Grand Palais, Paris, 1972.

Note: David Sylvester prépare à Londres un catalogue des œuvres de Magritte.

OUVRAGES SUR LE SURREALISME.

Histoire

Alexandrian, Sarrane. *L'art surréaliste.* Traduit par Gordon Glough, New-York: Praeger, Londres, Thames and Hudson, 1970.

Barr, Alfred H. Jr. *Art fantastique, Dada, surréalisme,* avec un essai de Georges Hugnet. New-York, Musée d'Art moderne, 1936; troisième édition 1937.

Durozoi, Gérard et Lecharbonnier, Bernard. *Le surréalisme. Théories thèmes, techniques.* Paris, Larousse, 1972.

Hugnet, Georges. *L'aventure Dada, 1916–1922.* Paris. Seghers, 1971. Introduction de Tristan Tzara.

Nadeau, Maurice. *The History of Surrealism.* New York: Mac-Millan, 1965; Londres Jonathan Cape, 1968. Traduction de *l'Histoire du Surréalisme,* 2 volumes, Paris: Editions du Seuil, 1945 et 1948; réédité en 1964.

Somville, Léon. *Devanciers du surréalismé: L'avant-garde poétique (1912–1925)*. Genève: Droz, 1971.

Thirion, André. *Révolutionnaires sans révolution*. Paris: Robert Laffont, 1972.

Philosophie

Alquié, Ferdinand. *The philosophy of surrealism*. Ann Arbor: University of Michigan Press, 1965. Traduction de Bernard Waldrop de *La philosophie du surréalisme*. Paris, Flammarion, 1955.

Carrouges, Michel; *André Breton et les données fondamentales du surréalisme*. Paris, Gallimard, 1950; réédité en 1967.

Le surréalisme en Belgique.

Foucault, Michel. «Ceci n'est pas une pipe». *Les cahiers du chemin* (Paris: Gallimard) n°: 2, Janvier 1968, pp. 79–105.

Geirlandt, K. J. «Belgian commentary», *Studio International,* Londres, 183, n°: 937 (octobre 1971) pp. 148–149.

Penrose, Rolland et Ollinger-Zinque, Gisèle/«The belgian contribution to surrealism», *Studio International* (Londres), 183, n°: 937 (octobre 1971) pp. 150–155.

Le surréalisme en Amérique.

Edward, Hugh. *Surrealism and its affinities: The Mary Reynolds collection*. The Art Institute, Chicago, 1956.

Janis, Sidney. *Abstract and surrealist art in the United States*. Museum of Art, San Francisco, 1944.

Levy, Julien. *Surrealism*. New York: The Black Sun Press, 1936.

Sweeney, James Johnson, ed. «Eleven europeans in America: Marcel Duchamp» bulletin du Musée d'Art moderne de New York, septembre 1946, pp. 20–21.

LES ÉCRIVAINS SURRÉALISTES
DE L'ENTOURAGE DE MAGRITTE.

Goemans, Camille. *Oeuvre (1922–1957)*. Bruxelles, André de Rache, 1970.

Lecomte, Marcel. «Quelques tableaux de Magritte et les textes qu'ils ont suscités». *Bulletin des Musées Royaux des Beaux-Arts de Belgique* (Bruxelles) 1–2, 1964, pp. 101–110.

Nougé, Paul. *Histoire de ne pas rire*. Bruxelles: Les lèvres nues, 1956. Avec le texte de Nougé, *René Magritte ou les images défendues* paru pour la première fois en 1943.

L'expérience continue. Bruxelles. Les lèvres nues, 1966.

Scutenaire, Louis. *Mes inscriptions*. Paris, Gallimard, 1945. *Revue du mouvement artistique franco-belge. Hommage à Magritte*. Bruxelles: Galerie Isy Brachot, 1968. Collection d'essais, de poèmes et d'articles d'écrivains et de critiques d'art de l'entourage de Magritte.